W9-CEF-671

LE BONHEUR
EST UN CHOIX

Lyne Barbeau anime
régulièrement des ateliers
sur la recherche du bonheur.

Pour joindre l'auteure :
(514) 570-4480
univers1a@hotmail.com

LYNE BARBEAU

LE

BONHEUR

EST UN

CHOIX

LES ÉDITIONS
FRANCINE BRETON

ÉDITIONS FRANCINE BRETON INC.
Collection « Épanouissement personnel »

Conception graphique
et mise en pages : Ginette Grégoire

Illustration de la couverture
et photo de l'auteure : Anne Parisien

Le bonheur est un choix
© 2002 Lyne Barbeau

efb

ÉDITIONS FRANCINE BRETON INC.
3375, avenue Ridgewood, bureau 422
Montréal (Québec) H3V 1B5
Téléphone : (514) 737-0558
info@efb.net
www.efb.net

Dépôt légal : 2ᵉ trimestre 2002
Bibliothèque nationale du Québec
Bibliothèque nationale du Canada

Distribution : Diffusion Raffin
Téléphone : (450) 585-9909
Télécopieur : (450) 585-0066

ISBN 2-922414-23-X

*À tous ceux et celles
qui ont cru en ce livre.*

*À Alexa, Catrie, Arianne,
Adrien et Pierre
qui ensoleillez tant de vies.*

*À Gilbert, qui s'est éclipsé
le jour où ce livre est né.*

Avant-propos

Un incident s'est produit peu après les attentats terroristes du 11 septembre 2001, qui a suscité en moi le besoin irrépressible de rédiger cet essai.

Après que les actes qui ont anéanti le World Trade Center à New York eurent été décriés par la communauté internationale et alors que la télévision rapportait encore quotidiennement des scènes poignantes d'Américains pleurant cette tragédie, on me demanda, à titre de journaliste, de me prêter à ce qui représentait à mes yeux une absurdité sans commune mesure.

J'appris que je devrais rapporter régulièrement en ondes les résultats d'une ligue de sport reconnue pour encourager la violence. Je ne pouvais en croire mes oreilles. Jusqu'à quel point le cerveau humain peut-il se compartimenter pour en arriver à abhorrer le terrorisme d'une part, et d'autre part à fermer les yeux sur la violence gratuite prônée par une ligue désirant attirer les foules? L'homme ne se voit pas agir et c'est pourquoi il est plein de contradictions. Comment est-il possible de déplorer la violence et, en même temps, de l'encourager?

Prenons les histoires, pas rares du tout, de parents assistant à une rencontre sportive impliquant leur enfant et qui se transforment en individus agressifs pour qui seule la victoire compte. Ou encore, les cas d'individus devenant des dangers publics parce qu'ils se sentent puissants avec un volant entre les mains.

Ce qui explique qu'un parent aimant puisse perdre la maîtrise de lui-même ou qu'un citoyen habituellement courtois fasse la pluie et le beau temps sur les routes, s'explique par le manque de constance chez eux. Ce manque ne peut qu'engendrer des contradictions.

En décidant d'écrire ce livre, j'ai cherché un sujet qui me permette de faire ressortir le phénomène de la contradiction chez l'être humain. Un sujet constructif, qui serait une réponse à la situation aberrante devant laquelle je me trouvais au travail et qui allait à l'encontre de mes valeurs pacifistes.

Le sujet que j'ai trouvé, c'est le bonheur. Dans ces pages j'aborde le thème de sa logique – car il y en a une. Cette logique est étroitement liée à la notion de constance chez l'individu. Ainsi, en décidant d'être heureux une fois pour toutes et malgré tout, nous apprenons à être logique avec nous-même et à faire preuve de constance, ce qui permet de faire disparaître nos nombreuses contradictions.

Le fil conducteur de cet ouvrage tient en ceci : « Lorsque nous disons quelque chose, pourquoi faire le contraire ? » Si nous souhaitons que le terrorisme soit éradiqué, pourquoi continuer à faire la promotion de la violence ? Si nous voulons être heureux, pourquoi aller à l'encontre de notre objectif en empruntant l'attitude de quelqu'un qui ne veut pas l'atteindre ?

Lyne Barbeau

Introduction

Faire le choix d'être heureux est à la portée de tous, et cette possibilité est offerte à chacun d'entre nous. Choisir le bonheur n'exige pas d'être né optimiste, de mener une vie extraordinaire, de posséder une personnalité éclatante, d'être favorisé par l'hérédité. Au contraire! C'est plutôt ce choix que nous faisons qui déteint sur notre personnalité et qui explique que nous semblons être favorisé par le sort.

Ce qui frappe, chez les gens heureux, c'est leur attitude et leur façon de concevoir la vie. Peu importe ce qui arrive, leur vision des choses leur permet de relativiser et de conserver une belle attitude. Pourquoi un individu ne voudrait-il pas voir la vie d'une manière heureuse puisque c'est une question de vision? D'autre part, pourquoi penserions-nous qu'acquérir cette vision est impossible? Tout est possible et c'est ce que nous verrons dans cet essai.

Nous cherchons tous le bonheur car nous souhaitons tous être bien ou nous désirons à tout le moins aller mieux, et c'est ce qui nous guide dans notre quotidien. En effet, personne ne commence sa journée en espérant qu'elle se terminera mal ou en ayant comme objectif d'être malheureux. En ce sens nous partageons tous un même besoin fondamental.

La quête du bonheur est universelle; elle n'a pas d'âge, pas de couleur, pas de compte en banque. Nous aspirons tous à une vie meilleure, quel que soit notre statut social. Par contre, nous pouvons posséder toute la sécurité au monde et être malheureux, comme nous pouvons vivre dans la rue et être heureux.

Au premier coup d'œil nous serions portés à dire que le bonheur se définit de mille façons différentes. Pourtant, ces multiples définitions ont un seul et même principe directeur et quand nous creusons un peu nous découvrons ce qui sous-tend cette quête universelle : c'est le désir profond qu'a chaque être humain d'être bien avec lui-même. Le voilà, ce désir qui nous pousse à vouloir nous sentir mieux, à chercher à améliorer notre existence.

Le bonheur est notre état originel, celui avec lequel nous sommes venus au monde. Regardez les enfants. Écoutez leurs paroles, observez leurs gestes : tout découle de leur faculté innée d'être heureux. Quand nous vieillissons, la vie semble plus compliquée et nous en venons à croire que le bonheur est un luxe que nous nous paierons quand nous en aurons le temps ou encore, les moyens.

Tous les gens heureux ont ceci en commun qu'ils ont conservé la souplesse de l'enfance. Quand nous sommes souples nous suivons le courant de la vie au lieu d'y résister, et nous nous adaptons aux circonstances tout en voyant éternellement leur bon côté. Ceux qui résistent sont rigides comme la glace, tandis que ceux qui s'adaptent sont comme l'eau du ruisseau qui contourne les obstacles.

La vie est ce qu'elle est. Elle bouge, elle se transforme, elle nous surprend, parfois elle nous déçoit, mais ce n'est pas à elle à s'adapter à nous. Les gens heureux savent cela et c'est eux qui s'adaptent à elle. En étant comme l'eau du ruisseau, ils découvrent qu'il ne sert à rien de tenter d'arrêter le courant, qu'il vaut mieux lâcher prise quand les circonstances l'exigent. Comme ils font confiance à la vie, celle-ci leur prouve qu'ils ont fait le bon choix. C'est pourquoi nous croyons, en les regardant, qu'ils sont favorisés. Oui, ils semblent l'être, mais justement parce qu'ils font confiance à la vie.

Saisissons ensemble cette occasion de redécouvrir ce qu'est le bonheur. Mais attention, ce livre ne contient ni de belles pensées ni de petites histoires qui finissent bien. Au contraire, son contenu met constamment au défi puisqu'il remet en question des comportements que nous tenons pour acquis mais que nous aurions avantage à transformer. D'autre part, nous consacrerons plusieurs chapitres à étudier les stratégies de l'ego, cette composante de l'être humain qui résiste au bonheur.

Nous constaterons que les gens malheureux ont une logique bien à eux, tout comme les gens heureux ont la leur. C'est ainsi que nous analyserons ces deux façons opposées de voir la vie. Pour ce faire, nous sonderons ce qui se passe dans la tête de ces deux catégories de gens. Nous verrons ensemble que dans l'existence, tout est question de vision : quel regard jetons-nous sur ce qui nous arrive ?

Les gens mécontents ou malheureux le sont à cause de leur façon d'aborder le quotidien. De leur côté, les gens heureux ont une approche que chacun peut faire sienne, à condition de le vouloir profondément. Cette acquisition a toutefois un prix : celui de délaisser les travers de l'ego. C'est ça le défi. Ce qui est formidable, c'est que cette transformation est à la portée de nous tous, peu importe notre passé ou notre situation actuelle. Changer notre façon de voir et de penser permet d'améliorer miraculeusement notre vie.

Nous irons au-delà de la pensée positive ou des formules toutes faites. Ainsi, nous aborderons un phénomène qui passe généralement inaperçu mais qui, pourtant, est la source de nos malheurs : celui de la pensée. Comme notre vision de l'existence est façonnée par nos pensées, il est essentiel d'aborder ce phénomène si nous voulons apprendre à jeter un regard neuf sur l'extérieur. Penser de façon positive est bien, très bien même, mais ne demeure qu'un remède temporaire tant que nous ne modifions pas en profondeur notre façon de voir et de penser la vie.

Nous démonterons nos mécanismes de négativité, et par conséquent, nous verrons plus clair dans le rôle de trouble-fête que joue notre ego. Nous nous donnerons en somme les moyens de dominer cet ego que nous connaissons si peu et si mal, plutôt que d'être dominé par lui.

Ce livre contient aussi, à la fin, quatre témoignages d'individus qui ont compris que le bonheur est un choix qu'ils renouvellent constamment. C'est pourquoi la compagnie de ces grands optimistes est si agréable. Chacun d'entre eux a vécu, au cours de sa vie, des événements difficiles à surmonter ou encore, très douloureux. Ils ont en commun de s'être relevés en faisant appel à la même volonté de passer à travers et d'en sortir grandis.

Si j'allais vous interviewer à votre tour, rencontrerais-je quelqu'un de bien dans sa peau, de souriant, de patient, d'attentif au bien-être des autres ? Si oui, alors ce livre, dans tout ce qu'il a de positif, parle de vous. En effet, partout où il est question de bonheur vous vous reconnaîtrez.

Si, au contraire, vous n'êtes pas heureux ou l'êtes seulement par moments ou ignorez comment y parvenir ou si vous n'y croyez pas ou plus, vous vous reconnaîtrez aussi dans ces pages. Non pas où il est question de bonheur, mais là où les facettes négatives de l'ego sont exposées au grand jour.

Si vous faites partie de cette seconde catégorie, la possibilité d'être heureux demeure entière... mais il faut alors faire un nouveau choix. Nous ne le répéterons jamais assez, le bonheur n'est rien d'autre qu'un choix qui peut être renouvelé chaque instant de la journée. C'est d'ailleurs ce qui fait de lui le porteur d'espoir le plus grandiose : à chaque seconde qui nous est donnée nous pouvons choisir d'être heureux. Une seconde, voilà le temps qu'il faut pour nous engager dans cette voie.

Le bonheur s'apprend à tout âge ! Lorsqu'il semble nous échapper, la vie peut être douloureuse. Pourquoi ne pas profiter de l'occasion pour s'ouvrir à la connaissance et pour découvrir les limites que nous nous imposons ? Redécouvrons comment être heureux tous les jours, comme les enfants.

PREMIÈRE PARTIE

LA RÉALITÉ

Le bonheur est un choix

L'ennemi du bonheur

La division intérieure

Le bonheur est un choix

Jean prépare ses vacances annuelles. Il planifie un voyage au bord de la mer puisqu'il est très fatigué et souhaite se reposer. Au moment où il veut acheter son billet d'avion, on lui répond qu'il s'y est pris trop tard et que tous les billets sont déjà vendus.

Jean voit toujours tout du bon côté et quoi qu'il arrive il collabore avec la vie plutôt que de lui résister. Il sait profondément et hors de tout doute que s'il n'obtient pas ce qu'il veut, c'est que quelque chose d'encore meilleur l'attend. Il ne connaît pas l'avenir, mais il a la certitude que la vie ne lui veut que du bien; il lui fait donc pleinement confiance. Que les circonstances semblent en sa faveur ou pas, il ne s'en fait pas.

Lorsque Jean apprend qu'il ne pourra se rendre là où il le souhaitait, il s'informe aussitôt d'un autre lieu où aller. Il y a tellement d'endroits à découvrir dans le monde qu'il considère ce changement de programme comme une occasion de connaître un nouveau pays. Il se reposera ailleurs puisque la situation l'exige, et il sait bien que ses vacances seront agréables malgré tout.

Jean a la conviction que les gens qui sont heureux, quoi qu'il arrive, sont naïfs et peu exigeants. Lui, au contraire, sait très bien ce qu'il veut, et il est très exigeant. Quand les circonstances sont en sa faveur et quand ses attentes sont comblées, il est satisfait. Dans le cas contraire, il est insatisfait.

Quand Jean apprend qu'il ne pourra se rendre là où il désirait, il est furieux. Selon lui il est clair que ses vacances sont ruinées, et il décide de rester chez lui. Il en veut aux compagnies aériennes de ne pas avoir prévu plus d'avions, il en veut à l'agence de voyages de ne pas lui avoir trouvé de place, il en veut aussi à la vie de ne pas lui permettre de se reposer.

En général nous regardons vers l'extérieur
pour être heureux.
La vision de la personne heureuse
est à l'inverse :
elle est d'abord heureuse, puis elle
regarde vers l'extérieur.

Le bonheur est un état d'esprit. Il naît, il vit, et meurt dans notre tête. Il n'a qu'une condition, et nous seul, individuellement, pouvons la remplir.

Nous ne pouvons être heureux que si nous acceptons de vivre consciemment cet état, peu importe ce qui arrive. Voilà la seule et unique condition, mais il faut l'accepter totalement si nous voulons être entièrement heureux.

Disons-le tout de suite : le bonheur, c'est le contraire de tous les malaises intérieurs que nous projetons vers l'extérieur en souhaitant pouvoir nous en débarrasser. La colère, la jalousie, l'impatience, la rancœur, l'amertume, sont autant d'armes que nous pointons vers nos semblables pour leur faire payer, en quelque sorte, nos divers malaises intérieurs.

Le bonheur, lui, est plutôt un état qui nous habite et qui se suffit à lui-même. Contrairement à la colère, notamment, nous ne souhaitons pas nous en débarrasser. Nous voulons simplement le vivre et le partager.

Le bonheur est accompagné d'une certitude, laquelle veut que nous puissions être heureux quoi qu'il arrive autour de nous. Voilà ce qu'est cette certitude. Elle fait en sorte que petit à petit nous cessons d'être un individu qui cultive le malaise intérieur, qui est prompt à la colère ou facilement impatient, par exemple, et nous devenons plutôt un être humain qui, tout en apprenant à se maîtriser, découvre que le bonheur est un trésor caché en lui.

En acceptant à 100 % la condition du bonheur, nous signons un contrat avec nous-même qui stipule que quelles que soient les circonstances, nous choisissons de demeurer heureux. En effet, notre acceptation du bonheur est inconditionnelle ou elle ne l'est pas. C'est d'ailleurs ce qui explique que certaines personnes puissent aimer inconditionnellement ; comme elles n'attendent rien de l'extérieur pour être heureuses, elles acceptent les autres comme ils sont. Voilà ce que signifie aimer sans condition et de façon désintéressée : c'est faire preuve de constance dans son amour.

Ce qui nous amène à aborder le sujet de la *responsabilité*. Ceux qui choisissent d'être heureux n'ont pas peur de s'engager envers eux-mêmes ; c'est ainsi qu'ils assument la responsabilité de leur choix.

Est-ce qu'être responsable signifie l'être par moments, ou bien selon notre bon vouloir, ou encore selon le jour de la semaine ? Non. Est entièrement responsable celui qui l'est, peu importe ce qui arrive. Est-ce qu'un parent est un parent seulement un jour sur deux ? Si nous acceptons la condition qui permet d'être heureux, nous acceptons aussi la responsabilité de l'être, quelles que soient les circonstances.

Toute recherche d'excuses démontre que nous ne sommes pas responsable envers nous-même et que nous acceptons d'être heureux seulement en théorie. Si nous voulons vraiment y parvenir, c'est en pratique qu'il faut l'être, au quotidien, face aux circonstances favorables et défavorables. Sinon, à quoi rime notre recherche du bonheur si, dès qu'une difficulté se présente, nous baissons les bras? À quoi bon, d'autre part, reporter continuellement le moment où nous serons heureux? Qu'est-ce qui nous fait croire que nous le serons dans six mois, un an ou davantage?

En assumant la responsabilité du choix d'être heureux, nous cessons de vouloir le devenir et nous le sommes, tout simplement. Une personne qui veut devenir sympathique peut-elle s'y prendre autrement qu'en *étant* sympathique? Il en va de même pour le bonheur. Si nous voulons devenir quelqu'un d'heureux, ne faut-il pas l'être? Comment s'y prendre autrement?

Si un seul événement ou une seule personne réussit à nous rendre malheureux, cela signifie que nous n'avons pas accepté la condition d'être heureux quoi qu'il advienne. Nous n'assumons donc pas notre responsabilité à cet égard, et nous rendons l'extérieur responsable de notre manque de ténacité dans la pratique. À ce sujet, nous verrons plus loin que rien ni personne peut nous rendre malheureux à part nous-même.

Cette partie de nous qui n'accepte pas d'être heureuse, n'est rien d'autre que le réflexe bien humain de chercher des excuses et de nous déresponsabiliser. Un des obstacles au bonheur, c'est justement cette habitude de chercher des excuses. Cessons de nous leurrer: l'obstacle n'est ni le conjoint ni le patron ni la maison qui est trop petite.

Cela dit, y a-t-il quelqu'un quelque part, qui ne souhaite pas être heureux ? Non, évidemment, puisque tout le monde *souhaite* l'être. Par contre, la terre est remplie de gens qui refusent de *changer leur attitude*. Voilà l'énorme différence. En réalité, nous nous empêchons nous-même d'être heureux à cause des excuses que nous cherchons pour ne pas l'être. Une fois les excuses abandonnées nous réaliserons que le bonheur est parfaitement accessible à tous, car c'est un état d'esprit. Ce n'est ni quelque chose que nous devons posséder, ni quelqu'un que nous devons connaître, ni un type de vie particulier que nous devons mener.

Bien sûr, tout le monde souhaite être heureux puisque c'est là un besoin fondamental à l'individu. Par contre, nous nuisons à nos chances de réussite tant que nous manquons de discernement, c'est-à-dire tant et aussi longtemps que nous préférerons combler des besoins que nous croyons fondamentaux mais qui ne le sont pas. Ces besoins de l'ego, puisque c'est de lui qu'il s'agit, voici en quoi ils consistent.

Pour les identifier il nous faut aborder le thème de l'ego et ses aspects négatifs, c'est-à-dire ceux qui sont associés à l'égoïsme de notre petite personne... dans ce qu'elle a de plus petit.

Soulignons que l'ego, au sens le plus large, est lié à notre sens de l'individualité et que son développement est essentiel à notre équilibre personnel. Mais attention : seul un développement sain mène à l'équilibre. Dans ce livre, nous nous limiterons à aborder les aspects négatifs de l'ego et non ses aspects positifs – car il y en a. Nous dévoilerons aussi nombre de ses stratagèmes, qui, en nous promettant le bonheur, réussissent plutôt à nous en éloigner.

L'ego joue un rôle critique dans notre existence puisqu'il détermine notamment la qualité de nos relations interpersonnelles. S'il est trop fort, et si un individu est trop centré sur sa personne, il aura une très haute opinion de lui-même et aura tendance à écraser autrui. S'il est trop faible, l'individu risquera au contraire de se faire écraser en raison de son manque de confiance en lui-même. Dans un cas comme dans l'autre, il y a déséquilibre.

Revenons à ces besoins que nous croyons fondamentaux et dont il a été question plus haut. Ceux-ci sont directement liés à la satisfaction de l'ego et, ce faisant, sont en opposition avec le bonheur. Retenons ces exemples : le besoin d'avoir raison, celui de dominer, de défendre ses opinions à tout prix, ou encore le besoin de convaincre, de se justifier, de posséder. Ces besoins ont en commun à viser et à célébrer l'aspect égoïste de l'individu. Nous croyons tous, un jour ou l'autre, qu'en les comblant nous serons plus heureux.

L'ego est loin d'être figé puisqu'il se transforme selon les étapes de la vie et selon les circonstances. Ainsi, à l'adolescence, où la tendance à se regrouper et à s'identifier à ses pairs est très grande, l'ego est alors plus faible, l'individualité ressortant peu ; c'est le prix à payer pour être accepté par ses semblables. Quelqu'un qui s'identifie à un groupe pour déterminer qui il est, ne se connaît pas très bien. Par contre, si le sens de l'individualité de l'adolescent est faible parmi ses pairs, ce déséquilibre est très souvent compensé par un fort ego avec la famille, notamment. D'où le nombrilisme et le manque de souplesse de certains jeunes à la maison.

Revenons-en au manque de discernement dont nous pouvons faire preuve quand nous cherchons à combler des besoins que nous croyons fondamentaux mais qui ne le sont pas. Ces besoins, disions-nous, nous font croire qu'en les comblant, nous serons heureux. Qu'en est-il en réalité ?

Il est impossible d'être heureux si nous croyons y parvenir en comblant les besoins de l'ego. Ceux-ci ne sont rien d'autre que des intermédiaires dont il se sert pour célébrer encore plus sa petite personne, ce qui est tout à fait incompatible avec le bonheur. Précisons ici que pour l'ego, être heureux c'est être centré sur lui-même en ne voyant rien autour de lui. Par définition, ses besoins égoïstes ne pourront jamais être satisfaits une fois pour toutes.

Lorsque nous écoutons notre ego, nous oscillons constamment entre la satisfaction et l'insatisfaction, car celui-ci dépend de l'extérieur pour être comblé. À l'opposé, si nous endossons la responsabilité d'être heureux, notre rapport avec l'extérieur se transforme automatiquement. Nous cessons alors d'agir comme un pendule qui oscille de gauche à droite et inversement au gré des circonstances.

Non seulement est-il déstabilisant d'être mené par son ego, mais aussi très fatigant, celui-ci se complaisant dans les rapports de force. Prenons, par exemple, le besoin d'avoir raison. Si nous aimons avoir raison, c'est que nous satisfaisons notre ego, qui aime dominer. Or, ce dernier voudra toujours dominer car il adore être comblé ; c'est ainsi que sa voix est très puissante en nous par moments.

Arrêtons-nous maintenant au besoin de défendre nos opinions. Encore une fois, notre ego est bien servi si nous écoutons sa voix qui nous incite, sans plus de réflexion, à agir de la sorte. Quand une autre occasion se présentera, il voudra à nouveau être satisfait et continuera à nous entraîner dans son jeu combien répétitif d'éternel insatisfait. Il est bien sûr permis de défendre ses opinions, mais sommes-nous certains que ce n'est pas l'ego qui se cache derrière cet exercice?

Quand nous lui cédons, c'est exactement comme quand nous mangeons et que nous avons faim six heures plus tard. Ainsi, la satisfaction d'avoir comblé un des besoins de l'ego ne dure qu'un certain temps. S'enchaîneront alors la nécessité de remplir un nouveau besoin, puis la satisfaction de l'avoir fait, jusqu'à l'apparition d'un prochain besoin, suivi d'une nouvelle nécessité de le combler, et ainsi de suite, comme un gouffre sans fond.

Quelqu'un d'heureux est comblé, car c'est un état qui l'habite et qui jaillit à l'intérieur de lui comme une source. Quelqu'un qui n'est pas heureux et qui n'écoute que la voix de son ego cherche la source du bonheur à l'extérieur; c'est d'ailleurs ce qui le garde prisonnier du cercle vicieux de ses besoins. Il cherche donc satisfaction après satisfaction, l'ego ne pouvant jamais être contenté une fois pour toutes. Mais nous y reviendrons.

Un individu qui se tourne vers l'extérieur pour tenter d'y trouver le bonheur n'hésitera pas, par exemple, à défendre âprement ses opinions ou à chercher à prouver qu'il a raison, même si cette détermination l'entraîne dans une discussion enflammée susceptible de faire place à la colère. Comme son ego lui fait croire que pour être heureux il lui faut défendre ses idées ou ses opinions, il les défendra, ce qui sous-entend qu'il voudra gagner.

Que cet individu ait dû passer par la colère pour arriver à la victoire est à son avis secondaire. Ce qui compte vraiment, pour l'ego, c'est le but à atteindre et non la façon d'y parvenir. Ce qu'il désire avant tout, dans ce cas, est ressentir la satisfaction d'avoir défendu ce qu'il pense – et encore mieux, de s'imposer. Ce qui lui donnera, si cela se produit, la très nette impression d'être supérieur.

Pour l'ego, la fin justifie largement les moyens. Il ne saurait en être autrement puisque celui-ci, à l'instar de l'estomac, veut se voir rempli avant tout. Cependant, comme l'ego cherche d'abord sa propre satisfaction, il ne pense pas du tout à la satisfaction d'autrui. D'ailleurs, un dicton illustre parfaitement cette réalité : *Ventre affamé n'a pas d'oreilles.* Résultat ? Traiter autrui avec respect, considération, ou patience, notamment, n'est certes pas un besoin pour lui. C'est pourquoi le chemin qui mène à sa satisfaction n'a d'autre utilité que de lui permettre d'atteindre son but. Ce chemin est accessoire, tout comme la personne en face de lui est accessoire à la satisfaction qu'il recherche.

Si nous croyons qu'avoir raison permet d'être heureux, cela révèle une confusion dans notre esprit puisque le bonheur n'a pas, et n'aura jamais comme caractéristique le rapport de force. Ainsi, quand nous cherchons à faire un gagnant et un perdant dans une discussion, ou encore à défendre chèrement ce que nous pensons, nous transformons nécessairement l'échange en une lutte à finir. Or, plonger dans ce « pattern » peut dénoter la recherche d'une satisfaction malsaine.

L'ego est increvable, et c'est pourquoi rien ne l'abat. En effet, il est un maître accompli dans l'art de combiner ses besoins pour, finalement, se satisfaire. Sa manière de procéder est d'une simplicité désarmante et se résume en deux mots : *mauvaise foi*. Mais voyons un peu comment il s'y prend.

Comme l'ego a toujours besoin de se satisfaire, il va de soi qu'il cherche à nous faire croire que nous sommes quelqu'un de bien et ce, quel que soit notre comportement. Il nous convainc que nous ne pouvons rien faire de mal. À ce sujet, sa notion de *bien* et de *mal* est très élastique mais aussi fort simple. Quand quelqu'un nous fait quelque chose que nous jugeons non satisfaisant, c'est mal. Par contre, quand nous faisons quoi que ce soit d'insatisfaisant pour autrui, ce n'est pas mal.

Faire des reproches est une permission que l'ego s'accorde avec une grande générosité, cela faisant partie de ce qui le satisfait pleinement. Il faut comprendre que la dernière chose qu'il recherche, c'est de justifier les autres et par conséquent, les excuser. Son plaisir suprême, faire des reproches, lui serait enlevé. C'est pourquoi il manipule constamment la réalité pour parvenir à ses fins. Voilà en quoi consiste sa mauvaise foi.

Résumons : l'ego se fait plaisir en accusant les autres ; il double ce plaisir en leur lançant des reproches. Quand il s'agit de lui, comme il serait impensable qu'il s'accuse de quoi que ce soit, il s'excuse lui-même. N'est-il pas vrai que pour l'ego, c'est toujours les autres qui ont tort ou qui ont mal agi ?

Quand il est question de son propre comportement, l'ego manipule constamment la réalité et en profite pour faire d'une pierre deux coups : quand il fait des reproches, il se satisfait en rabaissant autrui ; et en rabaissant autrui, il se relève lui-même.

Peu importe la vérité, l'ego s'arrange toujours pour se donner le beau rôle. En refusant de s'avouer qu'il a fait quelque chose de mal – quel plaisir ressentirait-il à le faire ? – il approuve automatiquement son comportement. Cette attitude fait en sorte qu'il se donne le maximum de droits, tout en limitant outrageusement ceux des autres.

Voyons maintenant d'un peu plus près comment il s'en tire quand il fait lui-même quelque chose de mal. Prenons l'impatience. Puisqu'il trouve injuste que quelqu'un soit impatient à son endroit, comment peut-il à son tour l'être envers quelqu'un puisqu'il juge cela répréhensible ? En effet, si l'ego reproche à quelqu'un son manque de patience, il serait illogique qu'il adopte aussi ce comportement.

L'ego a sa propre logique, laquelle est tout aussi tordue que lui. Quel lapin sortira-t-il de son chapeau ? Revoyons la situation : il souhaite étaler son impatience mais il ne peut se reprocher quoi que ce soit. La solution est simple : il trouvera une excuse pour justifier son impatience, tout simplement. Autrement dit, il s'accorde le droit d'emprunter ce comportement parce qu'il a une excuse – qu'il s'est fournie à lui-même – alors qu'il n'accorde ce droit à personne d'autre.

C'est ainsi que peu importe la vraie réalité, il la manipulera pour s'accorder des permissions. Rien ne peut résister à sa malhonnêteté dans pareil cas. En effet, il parvient toujours à justifier ses comportements douteux, ce qui lui permet de continuer à se voir comme quelqu'un de bien quoi qu'il fasse.

L'individu qui agit ainsi croit qu'il sera heureux. Sinon, pourquoi agirait-il de la sorte? Il y a cependant un hic: vouloir être heureux en cherchant à combler un besoin de l'ego, c'est comme peindre un mur en noir en croyant qu'il sera blanc. On ne fait pas du blanc avec du noir, tout comme on n'atteint pas le bonheur en s'en prenant à autrui.

Quelques mots, maintenant, sur les relations interpersonnelles. Si nous souhaitons combler les besoins de notre ego et s'il en est de même pour notre interlocuteur, alors toute discussion entre nous sera lourdement teintée de nos besoins respectifs à combler et l'enjeu sera dès le départ la recherche de satisfaction de deux egos qui s'affrontent. Adieu l'objectivité, puisque de part et d'autre l'échange portera forcément le sceau de la subjectivité. Voilà le plus sûr moyen de s'accuser mutuellement d'avoir tort et de ne rien comprendre.

Si nous voulons avoir raison à tout prix nous faussons l'objectivité. Si notre intention, dès le départ, est de gagner, alors notre but ne sera pas d'échanger mais bien de lutter et de dominer. Quand nous discutons, quelle est notre véritable motivation? Si c'est d'avoir raison, il est certain que l'exercice ne visera qu'à combler un ou plusieurs besoins de l'ego.

La satisfaction liée à la défense de nos opinions découle également de l'impression que nous réussissons à enlever quelque chose à autrui. Cette impression fait en sorte que nous nous sentons supérieur. Cela va de soi: si nous gagnons, c'est que nous avons enlevé la victoire à quelqu'un, et l'ego est doublement satisfait. Mais quelqu'un peut passer d'une satisfaction à une autre toute sa vie et ne jamais connaître le bonheur. Être enfermé dans le cycle perpétuel *satisfaction-insatisfaction*, c'est un peu cela l'enfer sur terre.

Le bonheur a comme caractéristique de transcender ces deux pôles *satisfaction-insatisfaction*, car lorsque nous faisons le choix d'être heureux, notre état intérieur n'oscille pas constamment entre ces états contraires.

Voyons ce qu'il en est de nos rapports avec l'extérieur. À partir du moment où nous écoutons la voix de l'ego, ce rapport est biaisé car c'est à l'extérieur, plutôt qu'en soi, que nous croyons que le bonheur se trouve; c'est donc cet extérieur que nous rendons responsable de nous rendre heureux ou pas. En nous déresponsabilisant ainsi, nous nous plaçons dans un état de dépendance total, ce qui est diamétralement opposé au bonheur. Le bonheur, c'est notamment n'avoir besoin de rien pour être heureux. Voilà l'une de ses clés.

Si nous dépendons d'autrui et des circonstances, nous nous conduisons comme un bébé qui dépend de ses parents pour le nourrir et prendre soin de lui. S'affranchir de cet état de dépendance dû à l'enfance ne se fait ni en atteignant dix-huit ans, ni en étant propriétaire d'un condo, ni en devenant président de son conseil d'administration. S'affranchir, c'est devenir un individu qui est bien dans sa peau et qui est ainsi capable de partager le bonheur plutôt que de le quêter à l'extérieur de lui.

En général l'être humain regarde vers l'extérieur *pour* être heureux. La vision de la personne heureuse est à l'inverse: elle est d'abord heureuse, *puis* elle dirige son regard vers l'extérieur.

Parlons de l'individu qui se sert de l'extérieur pour combler les besoins de son ego. Pour un tel individu, tout devient alors potentiellement un intermédiaire pour le satisfaire. Impossible pour lui de voir les gens pour ce qu'ils sont car il les utilise dans un but bien précis. Il emprunte ainsi l'attitude de certains politiciens qui agissent par démagogie pour obtenir des votes.

Autant la motivation de ces derniers est de s'attirer des appuis et de la sympathie, autant un individu mené par son ego entretient des rapports interpersonnels intéressés. S'il constate que quelqu'un peut lui apporter quelque chose, ou s'il réalise qu'il peut dominer ou convaincre, cela l'attirera. C'est ainsi qu'il privilégiera les occasions de se satisfaire.

Une relation interpersonnelle où un individu se servirait d'autrui pour combler ses besoins serait malsaine puisque dès le départ cette relation serait biaisée.

Quand nous cessons d'écouter la voix de l'ego, nos relations interpersonnelles prennent automatiquement un tout autre visage, car nous retrouvons l'objectivité des rapports sains et constructifs. Nous cessons d'être un politicien, en d'autres mots. Les rapports de force ou les intérêts personnels n'existant plus, nous pouvons être à l'écoute des gens sans avoir l'arrière-pensée de gagner quelque chose à leur contact.

D'autre part, en cessant d'être à l'écoute de l'ego, nous nous débarrassons du réflexe de classer les circonstances en satisfaisantes ou insatisfaisantes. Elles sont ce qu'elles sont, simplement. Nous ne cherchons plus, par ailleurs, à combler les besoins de l'ego et ce, parce que ce n'est plus lui qui mène. L'extérieur n'a donc rien à combler en nous et nous sommes enfin prêt à l'accepter pour ce qu'il est.

Quand nous choisissons d'être heureux, les gens et les circonstances sont libres d'être ce qu'ils sont et nous les apprécions comme tels. Nous pouvons alors vivre simplement et entretenir des relations saines, tout en conservant la liberté de privilégier celles qui correspondent à ce que nous sommes.

C'est en acceptant la vie telle qu'elle est – ce qui ne nous empêche pas de chercher à l'améliorer de façon constructive – que nous sommes en mesure d'apprendre que le bonheur s'engendre de lui-même, et c'est là toute sa magie. Il ne domine rien : il se propage. Il n'a ni raison ni tort : il est ce qu'il est. Il ne convainc pas : il se partage.

Le bonheur ne dépend ni de la victoire ni de la défaite, ni des reproches ni des opinions. Au contraire, quand nous sommes heureux, nous traitons les autres comme nous voudrions l'être nous-même. Réfléchissons à ceci : si nous excusions les autres comme notre ego nous excuse, cette façon de faire améliorerait chacune de nos relations interpersonnelles.

Si nous réalisons que la vie est telle qu'elle est, nous cessons d'écouter l'ego qui se plaint souvent qu'elle n'est pas ce que lui voudrait qu'elle soit. Dans la mesure où elle n'est pas à son service, il est certain qu'elle n'est pas ce qu'il voudrait qu'elle soit ! La vie enseigne que nous n'apprenons pas à être heureux en cédant à notre ego mais en se libérant plutôt de ses aspects négatifs. Par contre, pour ne plus chercher à combler ses besoins, il faut d'abord vouloir cesser. S'entêter à le servir, c'est résister à la vie.

Quiconque n'est pas conscient qu'il est mené par son ego ne peut être heureux car il veut toujours plus, et c'est précisé-

ment cette caractéristique qui fait qu'il ne connaît que des satisfactions passagères. Ainsi, quand il sera satisfait d'avoir dominé
autrui notamment, d'autres occasions se présenteront toujours
où ce besoin se manifestera à nouveau. Comme l'ego excelle
dans la défense et dans l'attaque, il se plait à nous convaincre
que ces attitudes nous rendront heureux.

Le réflexe qu'a l'ego de vouloir dominer signifie qu'il privilégie les rapports de force. Le pouvoir qu'il a sur nous, à ce chapitre, c'est de nous faire croire que nous serons diminué si nous
ne démontrons pas que nous sommes le plus fort. C'est toujours l'ego qui est présent quand il est question d'attaque et de
défense. Si nous croyons que la vie est un combat, nous nous
limitons terriblement, car nous réduisons l'existence à une lutte
à finir.

La petitesse égocentrique et la grandeur d'âme, voilà les
deux aspects de l'être humain qui se font la guerre sans répit en
nous. Regardons-nous agir et nous saurons quel aspect nous
privilégions. Le jour où nous refuserons la petitesse, nous serons en mesure de la voir pour ce qu'elle est et plus jamais nous
ne souhaiterons la défendre. Nous réaliserons alors que le bonheur et la grandeur sont une seule et même réalité ; nous
serons mûr pour concevoir la vie autrement et pour accepter
d'être heureux.

Si nous n'écoutons plus la voix de l'ego et que nous arrê-
tons de réagir à ses besoins qui nous enferment dans sa petitesse, nous verrons clairement dans son jeu et nous serons en
mesure de lui retirer le pouvoir que nous lui accordions jusqu'alors. C'est lui, en nous, qui résiste en clamant : *Je choisis*

d'être heureux mais à certaines conditions. J'accepte seulement ce qui me convient et je rejette le reste.

Être heureux quelles que soient les circonstances ne veut pas dire que nous ne faisons rien pour les améliorer. Cela signifie que tout en agissant, nous demeurons quelqu'un d'heureux, car nous n'éprouvons ni le besoin d'attaquer autrui, ni celui de défendre notre ego.

Pour l'ego, obtenir telle promotion le satisfait, ou fréquenter telle personne, ou utiliser tel produit, ou faire tel voyage, ou convaincre la terre entière qu'il est quelqu'un de bien. Cela fait, alors il sera heureux... se dit-il. Il s'agit plutôt de satisfactions passagères, qui seront très vite remplacées par d'autres besoins à combler ; c'est pourquoi il n'est jamais satisfait, étant toujours à la recherche d'un intermédiaire pour atteindre son bien-être.

Quand nous sommes heureux nous n'avons rien à combler. Gagner ou perdre ne modifie en rien notre harmonie intérieure, celle-ci continuant à s'engendrer elle-même ; de plus, comme nous ne dépendons de rien ni de personne pour déterminer notre état d'esprit, nous pouvons conserver notre objectivité.

À l'inverse, quelqu'un qui dépend de la victoire pour être soi-disant heureux, sera malheureux s'il perd. C'est pourquoi il n'aime pas la défaite. Comme son bien-être est soumis à une cause extérieure, il est normal qu'il s'attache à la victoire à tout prix.

Le bonheur ne dépend pas d'un résultat ou d'un but à atteindre. Mais attention : il serait faux d'avancer qu'une personne heureuse n'a pas de buts. Cela signifie plutôt que ce n'est pas le fait d'en atteindre un qui la rendra heureuse... puisqu'elle l'est déjà.

Si nous croyons que quelqu'un est bien dans sa peau parce qu'il est marié, ou qu'il a une télévision format géant, ou parce qu'il connaît le succès, c'est que nous pensons que l'extérieur lui apporte le bonheur. Associer le fait d'être bien à certaines circonstances, c'est oublier que le bonheur est un état et que la seule façon d'être heureux... est de l'être. Tant que nous persistons à croire qu'un obstacle peut s'interposer entre nous et le bonheur nous sommes d'avis que quelqu'un ou quelque chose peut nous éloigner de ce but. En pensant de la sorte, nous l'investissons de ce pouvoir.

Quand nous comprenons que le bonheur ne nécessite aucun intermédiaire, nous savons que nous pouvons le vivre tant que nous le voulons. Nous réalisons que nous sommes heureux quand nous acceptons de l'être, et que nous sommes malheureux... quand nous acceptons de l'être.

Avons-nous découvert la source du bonheur qui jaillit de l'intérieur, ou croyons-nous encore que cette source se trouve à l'extérieur ? Quand nous la reconnaîtrons en nous, nous pourrons nous y désaltérer sans limites.

De quoi choisissons-nous d'être le porte-parole ? De la petitesse de notre ego ou de la grandeur que nous pouvons tous atteindre ? Choisir entre ces deux options, c'est comme choisir un étage où s'arrêter dans un ascenseur. Les possibilités sont nombreuses : du deuxième sous-sol au vingtième étage. Celui qui se trouve au vingtième étage verra, le premier, le soleil se lever. Celui qui est enfermé dans le deuxième sous-sol ne saura même pas qu'il fait jour.

L'ennemi du bonheur

Jean se prépare à sortir au restaurant avec des amis. Il veut les emmener dans un endroit où il a déjà passé une soirée formidable. Ses amis veulent plutôt se rendre dans un établissement où il n'est jamais allé.

Jean aime la spontanéité ; c'est pourquoi il vit au jour le jour. Il a des préférences, comme tout le monde, mais il est ouvert à la nouveauté. Il y a tellement à apprendre qu'il ne se lasse jamais de faire des découvertes.

Ce soir-là, Jean se dit que la décision de ses amis à vouloir aller dans un restaurant autre que celui qu'il suggérait, lui donnera l'occasion de découvrir un nouvel endroit. Il fait confiance à ses amis. En découvrant les lieux, il remarque le soin apporté à la décoration et à l'ambiance. Il s'informe de la spécialité du restaurant et, curieux d'y goûter, commande ce mets qu'il ne connaît pas. Pendant le repas, il prend une part active à la conversation et se montre enjoué avec le serveur, qui est aimable avec lui. Jean est très content de sa soirée.

Ce soir-là, Jean est très déçu de la décision de ses amis à vouloir aller dans un restaurant autre que celui qu'il suggérait. Il déplore d'ailleurs ce choix. Il ne connaît pas cet établissement et il ne veut pas le connaître, d'autant plus qu'il est certain qu'il ne l'aimera pas. Une heure plus tard, en arrivant sur les lieux, Jean découvre que ce restaurant est plus petit que celui de son choix et qu'on y est à l'étroit, ce qu'il déteste ; en plus, il n'aime pas la musique qui s'y joue. Il réalise qu'on n'y sert pas les mêmes repas qu'à l'endroit où il voulait aller. Il constate à son grand dam que son mets préféré, le steak, n'est pas au menu. Pendant le repas Jean parle peu, songeant qu'il aurait dû rester chez lui. Comble de malheur, il n'aime pas l'attitude du serveur, qui sourit à ses amis mais pas à lui.

*L'individu qui s'attend
à ce que l'extérieur le rende heureux
en veut aux gens et à la vie
s'il est malheureux.*

L'ennemi du bonheur est facile à démasquer puisqu'il n'y en a qu'un : c'est l'ego. Quand nous le voyons pour ce qu'il est, la voie vers une existence meilleure s'ouvre toute grande devant nous. Identifier ses aspects négatifs et les corriger exige des efforts, mais ce travail permet de corriger ses travers. C'est lui qui refuse d'être heureux. En le réalisant, nous pouvons commencer à le dompter et ne plus le laisser nous dominer.

Faisons ce test : voulons-nous être heureux ? Quand nous répondons *Oui* clairement et que nous acceptons de nous remettre en question de A à Z, ce n'est pas notre ego qui parle. Quand, au contraire, nous disons : *Oui, mais je ne veux pas me remettre en question*, alors c'est notre ego qui s'interpose. C'est lui qui résiste, qui soulève les doutes, qui privilégie les difficultés, qui tient le bonheur à distance en ne voulant pas changer. Pendant que nous nous soumettons à ses caprices, le bonheur reste un vague espoir, un rêve qui se réalisera peut-être un jour, qui sait...

Tant que nous cédons à ses diktats et à ses impératifs, nous continuons à être sous sa domination. Or, le choix est simple : c'est le bonheur ou c'est l'ego, et il ne le sait que trop bien. C'est pourquoi il ne cesse de mener son chahut car, s'il se taisait, nous risquerions de découvrir ce qu'est ne plus obtempérer à ses moindres enfantillages.

Cela dit, pourquoi acceptons-nous de céder à ses besoins ? Parce qu'il n'est jamais rassasié. Avec la condition humaine vient la faculté de comparer, et nous ne réalisons pas que l'ego use de cette faculté pour comparer sans cesse ce qu'il a avec ce qu'il n'a pas, notamment. D'où ses récriminations et notre tendance à tomber dans le panneau.

Bien sûr, les comparaisons jouent un rôle essentiel au quotidien. Par exemple, quand nous allons acheter un vêtement, il est naturel que nous examinions ce qui se trouve au magasin afin de déterminer ce qui nous convient. C'est ainsi qu'en raison même des choix multiples qui s'offrent à nous dans tous les domaines pratiques de notre vie, nous faisons des comparaisons à tout moment.

Par contre, l'ego est un éternel mécontent. Comme il passe constamment de la faim à la satiété, puis de la satiété à la faim, il compare son degré de satisfaction avec celui qu'il avait hier ou qu'il pourrait avoir demain. Puis, s'il juge qu'il est en manque, il se tournera vers l'extérieur pour essayer de combler un de ses besoins ; n'importe lequel, selon la situation qui se présente.

Écouter son verbiage et céder à ses exigences est le plus sûr moyen d'être insatisfait ! Ainsi, le fait qu'il veuille toujours plus le rend impossible à contenter une fois pour toutes. Quand nous sommes heureux, c'est que nous avons maîtrisé les travers de notre ego en choisissant de lui retirer notre attention.

Réfléchissons à ceci : combien d'adultes issus d'un milieu défavorisé se souviennent-ils que durant leur enfance, ils n'avaient jamais eu l'impression de manquer de quoi que ce soit ? Un enfant s'adapte naturellement à son milieu, et sa confiance en ses parents et en la vie est tellement entière qu'il accepte sa condition sans poser de questions... et sans faire de comparaisons. De plus, comme il n'a pas encore la capacité de subvenir à ses besoins, il prend ce qui passe puisque c'est tout ce qu'il connaît.

Le drame de l'adulte, quand il ne parvient pas à accepter qu'il est responsable de son bonheur, c'est que non seulement il établit des comparaisons entre ce qu'il a et ce qu'il n'a pas, contrairement à l'enfant, mais en plus, il est insatisfait. C'est un cercle vicieux car ne prenant pas ses responsabilités, il s'attend à ce que l'extérieur le rende heureux. S'il ne l'est pas davantage, il en veut aux gens et aux circonstances, ou encore à la vie. L'enfant, lui, sait être heureux, vu qu'il a peu d'attentes.

Si nous acceptons d'être heureux de façon authentique, il nous revient de trouver cet état en nous. Si nous ignorons comment y arriver, nous pouvons apprendre. C'est le plus beau service que nous puissions nous rendre.

Quel état choisissons-nous de vivre ou d'apprendre à vivre ? Nous détenons tous la clé de notre bonheur car il est de notre responsabilité, si nous avons cédé aux besoins de l'ego, de voir ces besoins pour ce qu'ils sont et de ne plus chercher à les combler si nous tendons vraiment vers une vie plus agréable. Y a-t-il des besoins que nous choisissons de croire plus importants que celui, fondamental, d'être heureux ?

Le tiraillement intérieur de quiconque désire être heureux mais s'y refuse – parce qu'il ne choisit pas de l'être – crée une tension intérieure qui peut devenir insupportable. S'affrontent alors, en lui, le souhait d'être heureux et le fait de ne pas l'être. Le bonheur ne peut être vécu en présence de ce tiraillement.

La division intérieure

Jean croyait avoir congé le soir de son anniversaire mais il apprend qu'il devra travailler. Il avait planifié une soirée entre amis et en avait déjà parlé à quelques-uns d'entre eux.

Jean sait qu'il est possible d'être heureux même quand ça ne file pas. Quand il se sent ainsi, plutôt que de broyer du noir – puisqu'il ne veut pas prolonger cet état – il prend la décision d'avoir de belles pensées. C'est son remède miracle : il retrouve presque toujours le sourire.

En apprenant qu'il devra travailler le soir de son anniversaire, Jean se dit qu'il aura d'autres occasions de fêter et il appelle ses amis pour leur suggérer une rencontre le week-end suivant. Le jour de son anniversaire, il décide d'apporter de la musique au bureau pour agrémenter sa soirée. Les heures passent rapidement, et Jean profite du calme pour bien s'avancer dans son travail.

Certains livres expliquent que quand nous sommes malheureux, sourire malgré tout permet de nous motiver. Jean ne croit pas à cette théorie. Ce qu'il croit, c'est que quand quelque chose ne nous convient pas, il est très normal de se sentir mal et de demeurer ainsi.

En apprenant qu'il devra travailler le soir de son anniversaire Jean peste contre le sort et songe que d'autres auraient pu le faire à sa place, d'autant plus qu'il avait demandé son congé. Il appelle ses amis pour leur annoncer que la soirée est annulée et il en profite pour se défouler en se plaignant que la vie est injuste et que son patron n'a pas de cœur. Le soir de son anniversaire, Jean, qui est au bureau, pense à la belle soirée qu'il a ratée, ce qui le rend encore plus maussade. Les heures s'étirent et il n'arrive pas à se concentrer sur son travail.

Lorsque nous ne nous permettrons
plus de ne pas être heureux,
nous serons comblés.
L'option de ne pas être heureux
n'existant plus, nous n'aurons
d'autre choix que de l'être.

Lorsque nous sommes divisé intérieurement, du fait que nous ne choisissons pas pleinement d'être heureux, il est assuré que, parfois, nous accepterons de l'être et parfois nous le refuserons. Ces refus occasionnels vont à l'encontre du bonheur, l'une de ses caractéristiques étant la constance.

Quand nous ne disons pas un *Oui* inconditionnel au bonheur, il va de soi que nous nous laissons la possibilité de dire *Non*. Or, cette division intérieure a comme résultat qu'un jour nous concevons que la vie est belle, et le lendemain nous pensons le contraire.

À quoi sert de vouloir être heureux si nous attendons d'être de bonne humeur pour vivre le bonheur ? Allier la théorie à la pratique, c'est cesser de soumettre le bonheur à nos humeurs changeantes, à ce qui nous arrive ou aux personnes que nous rencontrons durant la journée. C'est constater que nous sommes peut-être dans une mauvaise passe, mais que nous pouvons être heureux quand même.

Si nous nous imaginons que les gens heureux le sont parce que la vie les favorise, il s'agit d'une fausse impression. Nous ne sommes pas heureux parce que la vie est belle, la vie est belle parce que nous sommes heureux.

Nous connaissons tous des gens qui soumettent le bonheur à leurs humeurs. Choisissons un moment où ils sont maussades et disons-leur, juste pour voir, que le bonheur est un choix. Les chances sont très grandes pour que cette observation alimente encore plus leur mauvaise humeur.

Je serai heureux si je juge que c'est une bonne journée, et malheureux si je crois le contraire... est l'attitude qui caractérise ceux qui croient que le bonheur dépend de nos humeurs. En raisonnant ainsi, ils croient que le bonheur n'a sa place que lorsqu'ils sont dans de bonnes dispositions. Ils ne saisissent pas qu'une personne est heureuse non parce que la vie lui est douce, mais parce qu'elle a choisi d'être heureuse – *c'est pour cela que la vie lui est douce.* Cette personne n'est pas plus favorisée qu'une autre : seule son attitude donne cette impression.

C'est à nous de nous soumettre au bonheur, pas à lui de se soumettre à nous. En nous engageant à être heureux sans clause dérogatoire, nous apprenons à agir et à réagir comme quelqu'un qui accepte d'être heureux, sans conditions et sans exceptions.

En nous donnant la permission d'être heureux quand cela nous convient, nous laissons la direction du vent déterminer nos humeurs. Quelqu'un qui pose des conditions au bonheur se laisse une porte de sortie s'il décidait de blâmer quelqu'un d'autre qui « l'empêche » d'être heureux. Cet individu s'assure de pouvoir se comporter en victime quand cela lui tentera.

Les circonstances n'ont rien à voir avec notre bonheur ou notre malheur. La raison pour laquelle quelqu'un ne serait pas heureux tiendrait à se donner la permission de ne pas l'être.

En catégorisant certaines circonstances *satisfaisantes* ou *insatisfaisantes*, il se laisse la possibilité de réagir en fonction de ce qui lui arrive plutôt que d'être heureux tout simplement, indépendamment de la situation.

Voici un exemple. Attraper une contravention n'a rien d'agréable. Quiconque réagit en fonction des événements aura forcément une réaction négative. À l'opposé, quelqu'un qui réagit en fonction du bonheur ne se laissera pas influencer de la sorte. En bout de ligne, les deux individus devront régler leur contravention ; mais lequel des deux sera le plus malheureux ? Et qu'aura rapporté de constructif le fait d'avoir réagi de façon négative ?

Quand pour nous être heureux deviendra aussi essentiel que respirer, alors nous le serons. Nous aurons compris que le bonheur c'est comme la respiration : rien peut nous en empêcher. En nous levant le matin, nous accordons-nous la permission de ne pas respirer si certaines circonstances ne nous plaisent pas ? Non. Quoi qu'il arrive nous respirons, et nous tenons ce réflexe physiologique pour acquis.

Songerions-nous une seconde à accuser les circonstances de nous empêcher de respirer ? Alors pourquoi, quand il est question du bonheur, accuserions-nous l'extérieur de nous empêcher d'être heureux ?

Lorsque nous ne nous permettrons plus de ne pas être heureux, nous serons comblés. L'option de ne pas être heureux n'existant plus, nous n'aurons d'autre choix que de l'être.

Plus de « peut-être », plus de conditions. C'est à partir de ce moment que le bonheur pourra commencer à devenir une habitude en nous, jusqu'au jour où nous serons heureux comme nous respirons. Notre réflexe de résister se sera alors transformé en réflexe d'être heureux.

Notre attitude détermine à quel point nous sommes heureux ou malheureux. Peu importe notre passé, notre famille, notre salaire ou nos loisirs, puisqu'il y a autant de malheureux chez les millionnaires qu'il y en a chez les moins nantis.

Examinons ensemble ce qui suit:

1. *Les gens heureux savent qu'ils ont le choix d'être heureux ou malheureux. Ils choisissent d'être heureux.*

2. *Les gens malheureux ne savent pas qu'ils ont le choix d'être heureux ou malheureux. Sans le savoir ils choisissent d'être malheureux.*

3. *Si les gens malheureux savaient qu'ils ont le choix d'être heureux ou malheureux, ne choisiraient-ils pas plutôt d'être heureux?*

Les gens heureux ont ceci de plus que les autres qu'ils sont conscients d'opter pour le bonheur. Ils pourraient vous parler abondamment des bienfaits de ce choix. Que choisissez-vous à votre tour? Quelle est votre attitude à ce sujet? Vous réveillez-vous le matin en rugissant contre la terre entière ou bien accueillez-vous la nouvelle journée comme on accueille son meilleur ami?

Quels efforts déployez-vous pour vous rendre la vie plus agréable et la rendre par conséquent plus agréable aux autres? Vous montrez-vous aimable avec les gens que vous rencontrez durant la journée? Si non, tentez ce premier exercice: soyez d'abord sincèrement aimable avec vous-même, puis constatez les résultats. Vous réaliserez bien vite qu'être bien avec soi permet d'être bien avec les autres. Être bien avec soi-même est un défi personnel qui commence et qui finit en nous.

Les gens heureux sont comme tout le monde : ils ont, ou ont eu, leur part d'ennuis. Mais ils ont compris, un jour, que chacun détient son propre bonheur entre ses mains. De plus, ils tiennent à se montrer sous leur meilleur jour. Pas par vanité, mais simplement parce qu'ils ont à cœur de propager le bonheur et non le malheur. C'est un réflexe qu'ils ont acquis et qui est profondément ancré en eux.

Vous ne voulez pas propager le bonheur ? Vous en avez parfaitement le droit. Mais vous voulez être heureux ? Le miracle du bonheur, c'est qu'il ne demande aucun effort envers autrui, les bonnes relations étant tellement simples quand nous sommes heureux. Vous n'avez qu'à opter pour le bonheur, comme vous choisissez de tourner à gauche ou à droite à un croisement. À gauche, vous souriez ; à droite, vous avez la face longue.

Nous pouvons être malade, nous pouvons être seul au monde, ou encore nous pouvons vivre un douloureux échec, tout en étant bien avec soi-même. Si cela n'était pas possible, alors un bon nombre d'entre nous serions mal dans notre peau.

L'être humain qui choisit de réagir négativement aux gens ou aux circonstances est doué pour se cacher à lui-même qu'il est responsable de sa vision de la vie. Nous avons toujours le choix de notre attitude, et nous sommes responsable de ce que nous choisissons. Que nous nous promenions en Jaguar ou que nous soyons sans-le-sou, nous avons toujours l'option de cocher *bonheur* ou *malheur*.

Si nous choisissons d'être heureux et que nous ne le sommes pas, cela n'a rien à voir avec le bonheur. Cela ne veut pas dire non plus que la vie nous en veut. C'est que nous ne savons pas comment nous y prendre pour goûter le bonheur. Mais nous pouvons apprendre.

Faire le choix d'être heureux, c'est aussi accepter de s'engager totalement en adoptant une nouvelle façon de vivre et de penser. C'est collaborer activement avec la vie et non plus attendre qu'elle nous rende heureux.

Quand notre démarche est sincère, nous nous mettons à penser, à parler, à agir différemment. Le bonheur est une science exacte qui donne des résultats parfaitement proportionnels aux efforts et à la bonne volonté que nous y investissons. Si vous êtes de mauvaise humeur, alors forcez-vous pour être de bonne humeur si c'est ce que vous souhaitez. Si la journée est moche, souriez. Si votre conjoint ne vous parle pas, gardez le moral et montrez-vous gentil malgré tout.

Vous portez parfois des lunettes fumées ? Il va de soi qu'elles modifient les couleurs de ce que vous regardez. Si vos lunettes sont grises, alors même le jaune le plus vibrant sera morne et sans éclat. Sachez que si vous voulez cesser de voir cette grisaille, repeindre l'extérieur ne donnera rien. Ce qu'il faudra plutôt, c'est ôter vos lunettes.

Une garantie solide comme du béton accompagne le choix sincère d'être heureux. Quiconque s'engage entièrement est assuré que ses pensées, ses paroles et ses actions seront celles d'une personne heureuse. Si ce n'est pas le cas, c'est que cette personne n'était pas prête à s'engager totalement quand elle a fait son choix ; elle n'a donc pas droit à la garantie.

L'inverse est également vrai, et le choix sincère d'être malheureux est aussi assorti de sa propre garantie. Dans ce cas, il est certain que cet individu pensera, parlera, agira comme quelqu'un qui a sincèrement choisi d'être malheureux... puisque, là aussi, c'est garanti.

Prenez le temps de déterminer comment vous voulez traverser la vie. Et songez à ceci : nous prenons parfois des jours ou des semaines à choisir une destination de voyage puis à nous préparer, de la même façon que nous allons d'un vendeur à l'autre pour choisir une automobile. Combien de temps consacrons-nous véritablement à décider si nous voulons vivre heureux ou malheureux ? N'est-ce pas là un choix qui vaut bien celui d'un véhicule ?

DEUXIÈME PARTIE

L'EFFORT

Repousser nos limites

Être heureux est simple !

Un obstacle au bonheur

Repousser nos limites

Un matin, Jean se lève avec une ferme résolution : il se montrera particulièrement agréable avec tous les gens qu'il rencontrera durant la journée.

Jean est conscient que l'on récolte ce que l'on sème. Il traite toujours les autres comme il voudrait être traité et c'est pourquoi il se montre cordial envers eux, beau temps, mauvais temps. Pour lui il est acquis que notre attitude détermine la réaction des gens envers nous. Il en a la preuve tous les jours.

Ce matin-là, Jean sort de chez lui de bonne humeur et se rend à son café préféré. Comme l'employée à qui il s'adresse semble pressée, il lui suggère de ne pas se précipiter ; il a tout son temps. Soulagée, elle lui fait un sourire fatigué, puis, par mégarde, lui sert un autre muffin que celui commandé. Gentiment, Jean lui dit qu'il n'a pas dû s'exprimer assez clairement mais qu'il le fera la prochaine fois. La femme s'empresse de corriger son erreur en s'excusant, et lui confie qu'elle manque de concentration ce matin car son enfant est malade. Jean lui souhaite bonne chance, tout en songeant combien la vie est plus agréable quand nous traitons les autres comme nous souhaiterions l'être.

Jean a déjà entendu dire que l'on récolte ce que l'on sème. Il n'est pas certain de ce que cette phrase signifie, mais il sait une chose : les gens n'ont jamais été très chaleureux envers lui. À son avis, ça s'explique par le fait que plusieurs personnes ont mauvais caractère.

Ce matin-là, Jean sort de chez lui de bonne humeur et se rend à son café préféré. L'employée qui semble pressée, lui sert un autre muffin que celui commandé. Il réplique d'un ton sec que ce n'est pas ce qu'il voulait. Elle s'excuse à peine et lui donne un autre muffin. De mauvaise humeur, Jean se dit qu'il était pourtant dans un bon état d'esprit en entrant dans cet établissement ; il se demande pourquoi l'employée n'a pas été plus gentille avec lui. Il voudrait bien se montrer agréable envers les gens mais si ceux-ci ne le sont pas, pourquoi se forcerait-il ?

Les gens qui atteignent leurs buts
les plus chers
ne s'accordent pas l'option
de ne pas les atteindre.
Ils prennent un engagement ferme
envers eux-mêmes.

Repousser toute limite exige un effort supplémentaire tant que cet effort n'est pas devenu naturel. Quand il le devient, ce n'est plus un effort, car il a été intégré et fait désormais partie de la nouvelle limite à repousser.

Prenons le fait de s'entraîner pour le marathon et celui de se soumettre à un régime. Ces deux cas exigent des efforts. La personne qui réussira à atteindre son but est celle qui se sera pleinement engagée envers elle-même dès le commencement. C'est dans sa tête qu'elle réussira ou qu'elle échouera et ce, dès le premier jour.

Si elle s'engage de plein gré et aussi sérieusement que si elle signait un contrat avec un autre individu, elle ne se donnera pas la permission d'échouer. Dès le départ, il est clair qu'elle ne se permettra rien qui fera dévier son engagement. C'est pourquoi, mentalement, elle voudra se rendre jusqu'au bout. Elle saura résister à un dessert ayant accepté de suivre son régime de façon inconditionnelle, ou encore, dans le cas du marathon, elle ira s'entraîner même si elle est fatiguée ou même s'il fait mauvais temps.

Qu'il s'agisse d'un régime ou d'un marathon, ou encore du bonheur, nous avons toujours le choix de nous responsabiliser ou pas. En bout de ligne, c'est envers nous-même que nous nous engageons ou que nous trichons. C'est pourquoi la différence entre ceux qui réussissent et ceux qui échouent est invariablement liée à leur engagement premier. Si nous ne nous engageons pas, c'est que notre volonté d'atteindre notre but est tout simplement absente.

La seule décision qui compte est celle de s'engager ou pas, car de cette décision découle tout le reste. Si nous nous engageons nous penserons *engagement*. C'est ce qui nous permettra de réussir car la fondation sera solide.

Reprenons l'exemple du marathon. Si nous décidons de nous entraîner quotidiennement, avons-nous en tête que la pluie ou le froid repoussera notre entraînement au lendemain? Si oui, voilà qui démontre que notre engagement est circonstanciel. Dès le départ, il est acquis que nous nous permettrons un écart si certaines circonstances le justifient à nos yeux. En nous donnant la permission de dire *Non* à l'entraînement certains jours, nous ouvrons la porte à cette possibilité. Cela fait, rien de plus facile que de sauter un entraînement.

Il en va de même avec le régime. Si, dès le départ, nous nous accordons la possibilité de faire des écarts dans certaines circonstances, alors le faire sera permis – et possible par conséquent – puisqu'avant même de commencer nous serons d'accord. Nous trichons donc déjà... en pensée.

L'engagement circonstanciel divise intérieurement la personne étant donné qu'une partie d'elle s'engage, l'autre pas. Quand deux voix se font entendre en nous, c'est-à-dire *Oui* et *Non*, nous sommes automatiquement ambivalent, deux options s'offrant à nous. Nous qui voulions entreprendre un régime pour en récolter les bénéfices, en sommes rendu à résister à notre propre voix qui dit que tricher est permis. Dès le départ les dés sont pipés et le succès, forcément mis en péril. Bref, nous nous désavantageons nous-même au départ.

Si nous voulons perdre du poids, pourquoi nous donner la permission de ne pas en perdre ? D'autre part, pourquoi résister à nos propres buts comme s'il s'agissait de ceux de quelqu'un d'autre ? Chaque fois qu'une voix en nous dit *Oui* et qu'une autre réplique *Non*, c'est comme s'il y avait deux personnes à l'intérieur qui s'affrontaient. Notre résistance à nous-même équivaut à la résistance avec quelqu'un d'autre.

Sommes-nous prêt à nous engager inconditionnellement ? Si nous ne le sommes pas, à quoi bon nous mentir en croyant que nous le sommes ? Si nous sommes divisé quand nous commençons un régime, quelle voix gagnera devant le morceau de gâteau ? Celle qui dit *Oui* au régime ou celle qui dit *Non* ?

Il y a fort à parier que la personne qui a déjà accepté de tricher succombera ; si ce n'est pas cette fois-ci, ce sera la prochaine ou celle d'après. Quoi qu'il en soit, il est certain qu'elle trouvera difficile de maigrir puisqu'elle se bat contre elle-même.

À l'opposé, un individu qui, dès le départ, s'engage de façon inconditionnelle, ne succombera probablement pas, une seule voix s'exprimant en lui. Comme il ne s'est pas donné la permission de tricher, pour lui ce n'est pas une possibilité. À ce sujet, il est passionnant de demander aux gens qui atteignent leurs buts les plus chers quel était leur engagement premier. Ils vous répondront qu'ils ne s'accordaient pas l'option de ne pas atteindre leurs buts. Ils avaient pris un engagement ferme envers eux-mêmes.

Lorsque le bonheur est notre objectif, ne pas accepter à 100 % d'être heureux, c'est se donner la permission de tricher ; comme la personne qui accepte d'échapper à un entraînement. En bout de ligne, qu'est-ce que ça peut bien faire ? Rien, peut-être. Sauf que nous risquons de ne pas réaliser que le coeur du problème, quand nous n'atteignons pas un but, ce sont ces deux voix en nous qui s'opposent. Pourtant, en faisant disparaître cette division, nous pouvons réussir tout ce que nous entreprenons.

Les circonstances sont une échappatoire séduisante. Par contre, tant que nous sommes occupé à accuser l'extérieur, il est difficile de constater que nous n'avons pas répondu à la première condition du bonheur, qui ne laisse place à aucune exception ou permission spéciale : Acceptons-nous de vivre cet état ? Accepter réellement, c'est s'engager de façon inconditionnelle. Tout autre engagement est partiel.

Ne pas s'engager totalement, c'est risquer de se comporter telle une girouette, exposée à la force et à la direction du vent. En somme, c'est lier notre bonheur non plus à la décision personnelle d'être heureux, mais aux éléments extérieurs. Si nous n'aimons pas ces éléments, décidons que ce ne sont pas eux qui nous empêcheront d'être heureux malgré tout. Au contraire !

La division que nous créons en catégorisant les circonstances, n'aurait jamais existé si nous n'avions pas, à l'origine, accepté que celles-ci soient responsables de notre bonheur. Cependant, le fait de nous rendre dépendant d'elles nous pousse

ensuite à juger si elles nous satisfont ou pas puisque notre bonheur y est lié.

Quiconque ne vit pas l'harmonie peut dépenser des sommes d'énergie considérables à tenter de changer les circonstances – ou à s'en plaindre – plutôt que de se demander pourquoi il se sent ainsi. Pourtant, se questionner et se remettre en
question demeurent les seules solutions valables.

Les vrais champions, les héros, les modèles qui inspirent,
sont tous ceux qui sont parvenus à transformer les coups durs
en tremplin pour mieux s'élancer vers les sommets. Les gens
qui savent porter le bonheur en eux et qui sont capables de le
communiquer, ceux-là aussi ont eu leur part d'épreuves, mais
ces dernières les ont poussés à chercher le positif, à ne pas
déplorer le négatif. Ils se sont pris en main et plutôt que de se
transformer en victimes, ils ont choisi consciemment d'aspirer
à mieux et de se concentrer sur le constructif. Ils ont compris
que la vie n'a pas l'obligation d'assurer leur bonheur, que c'est
à eux qu'incombe cette responsabilité.

Ceux qui ont réussi à voir les obstacles telles des opportu-
nités pour devenir de meilleurs êtres humains ont eu le choix,
eux aussi. Au départ ils n'étaient pas plus favorisés que d'autres
par le destin. Certains se sont servis des circonstances les plus
pénibles ou injustes qui soient pour puiser au plus profond
d'eux-mêmes. C'est en eux qu'ils ont découvert la clé qui leur
a permis de remonter à la surface pour enfin réaliser que l'extérieur ne peut strictement rien contre notre choix d'être
heureux. Ces gens ont bel et bien fait ce choix malgré ce qu'ils
vivaient. C'est cet engagement inconditionnel qui leur a permis
de s'en sortir.

Le ciel et l'enfer sont l'image de notre acceptation ou de notre refus du bonheur. Quand nous choisissons d'être heureux, nous découvrons le paradis, qui se dévoile alors en nous. Quand nous refusons, nous vivons une forme d'enfer puisque nous cherchons le paradis à l'extérieur de nous... où il ne se trouve pas et ne se trouvera jamais.

Être heureux, c'est un choix qui se fait et se refait quotidiennement. Quand nous rendons les circonstances responsables de décider à notre place si nous aurons une bonne journée ou une mauvaise, nous n'exerçons pas notre choix. Nous nous exposons à la déception et même à l'amertume. Si les circonstances sont favorables nous croyons le bonheur possible. Si, au contraire, elles sont défavorables, nous en concluons qu'il est bel et bien impossible d'être heureux puisque les circonstances le prouvent. Voilà comment raisonnent ceux dont la vision est à l'envers.

Si nous orientons nos recherches vers l'extérieur dans l'espoir – et la croyance – que quelque chose ou quelqu'un nous rendra heureux, non seulement oublions-nous qu'être heureux est un choix, mais nous nous exposons à la déception puisque l'extérieur ne peut pas nous donner ce qui se trouve en nous. Il peut nous aider à le trouver, mais ne peut le faire à notre place.

Choisir d'être heureux est diamétralement opposé à chercher ce qui nous rendra heureux. À ce propos, le temps passé à chercher le bonheur à l'extérieur a comme seul effet de repousser le moment où nous le vivrons.

Nous confondons le bonheur avec un objet ou une personne, et c'est cette confusion qui explique le fait que nous courions après en croyant pouvoir mettre la main dessus. Si le bonheur n'était pas un état, alors nous pourrions réellement tendre la main et nous en saisir, puis l'amener à nous, comme un objet. Mais cela est impossible, et notre besoin fondamental d'être heureux ne peut être comblé de la sorte. Peut-être, pour un moment, l'extérieur nous satisfait-il, mais cela ne dure qu'un temps.

Être heureux est simple !

Jean attend un appel téléphonique et il décide de rester chez lui toute la journée pour ne pas le manquer. Les heures passent et le téléphone ne sonne toujours pas.

Un collègue de Jean, à qui tout semble réussir, lui a déjà confié son secret du bonheur : il ne se laisse pas aller à des pensées négatives, préférant les pensées positives. Jean, qui agit de même, est d'accord. Selon ce dernier, dans la vie tout est une question de point de vue. C'est pourquoi il choisit toujours de voir le positif dans toute situation, quelle qu'elle soit. C'est cela qui lui permet de ne jamais se laisser abattre.

En attendant cet appel qui ne vient pas, Jean en profite pour régler des dossiers. Il fait même un peu de ménage, ce qu'il remettait depuis plusieurs jours, et il s'avance dans sa comptabilité. Quand la personne l'appellera, elle l'appellera. D'ici là il ne se fait pas de mauvais sang.

Un collègue de Jean, à qui tout semble réussir, lui a déjà confié son secret du bonheur : plutôt que de se laisser aller à entretenir des pensées négatives, il choisit de penser de façon positive. Jean se dit que ce collègue doit avoir une vie facile pour pouvoir se permettre de ne pas être négatif.

En attendant cet appel qui ne vient pas, Jean s'impatiente de plus en plus et il tourne en rond chez lui. Il commence à penser que la personne l'a oublié, ou qu'elle fait exprès de ne pas l'appeler. Il se dit que ces situations n'arrivent qu'à lui, et que les gens n'ont pas de parole. Il songe à tout ce qu'il aurait pu faire ce jour-là s'il n'avait pas eu à attendre l'appel de son correspondant.

Nous n'aimons peut-être
pas toujours ce qui nous arrive
mais cela n'empêche pas d'être heureux.
Apprenons à faire abstraction
de l'extérieur.

À partir d'ici je vous invite à cesser de croire qu'être heureux est difficile. En fait, c'est aussi facile que choisir de rire. Ce qui prend du temps, c'est de se convaincre que le bonheur, comme le rire, est un choix, et que personne peut le faire à notre place.

Nous n'aimons peut-être pas toujours ce qui nous arrive mais cette réalité n'empêche pas d'être heureux. Ce qui compte, c'est de faire abstraction de l'extérieur quand vient le temps de déterminer comment nous voulons nous sentir. Une tempête peut se déchaîner autour de nous, mais cela n'empêche pas qu'à l'intérieur nous puissions demeurer calme.

Partout où nous allons, en tout temps, nous pouvons demeurer serein. Quelle est notre atmosphère intérieure ? Comme celle qui caractérise une maison, une église, une salle de spectacle, nous baignons dedans. Elle est formée de l'ensemble de nos pensées ; chacune a sa couleur, de la plus sombre à la plus claire, et c'est leur combinaison qui forme notre atmosphère.

Celle qui nous habite, quand nous sommes négatifs, ressemble à l'intérieur d'une pièce sans fenêtres ni aération. Quand nous sommes positifs, cette pièce s'aère et s'éclaire de la plus belle lumière qui soit.

Nous pouvons nous assurer de conserver une belle atmosphère intérieure en soignant nos pensées. Pour parvenir à les soigner, cependant, nous sensibiliser au phénomène de la pensée constitue la première étape, qui est d'une aide inestimable. Ensuite nous pouvons nous attarder au contenu de ce qui défile dans notre cerveau. Parlons donc de ce phénomène qui passe facilement inaperçu.

Mises bout à bout nos pensées forment des enchaînements, lesquels déterminent nos paroles et nos actions. Nous choisissons nos pensées à tout moment de la journée, parmi des milliers d'autres. Un tri continuel se fait dans notre tête, et c'est ainsi que nous en acceptons certaines et que nous en rejetons d'autres. Ce processus se produit de façon tellement rapide dans notre cerveau que nous en avons très peu conscience.

Voyons par exemple quelles pensées nous pouvons avoir quand nous faisons la queue dans un magasin pour payer un article quelconque. Disons que cela prend un temps fou et que nous nous mettons à penser au temps perdu à attendre. Si nous ressentons de la frustration, nous voudrons la diriger vers quelqu'un et cela nous poussera à jeter un coup d'œil aux alentours pour tenter de déterminer la cause du retard. L'ego, pour se soulager, fera porter l'odieux de la situation à quiconque est susceptible d'être coupable, ce qui lui permettra d'évacuer une partie de sa frustration.

La façon la plus inconsciente de nous sentir mieux quand notre atmosphère intérieure est désagréable, est la négative, c'est-à-dire accuser quelqu'un ; cette réaction évacue une partie de notre malaise intérieur. En réagissant ainsi plutôt que d'y aller d'une façon positive – respirer par le nez, par exemple – nous donnons le coup d'envoi à un enchaînement de pensées qui a pour conséquences de porter notre attention sur le retard. Ce faisant, nous empirons la situation alors que nous souhaitions le contraire. Voilà comment l'ego nous entraîne dans la direction opposée à notre besoin fondamental d'être heureux.

Cet exemple est typique de quelqu'un qui choisit ses pensées en fonction des circonstances. Si celles-ci ne nous conviennent pas, pourquoi s'obstiner à y penser à tout prix en nous concentrant sur le retard? En d'autres mots, pourquoi donner de l'importance à celui-ci?

Revenons au processus mental qui accompagne cette situation. Si nous sommes frustré, c'est qu'il y a une cause, raisonnons-nous. Ce raisonnement, qui se fait à la vitesse de l'éclair, nous pousse à vouloir identifier ce qui entraîne ce retard et explique notre frustration.

Une fois que nous avons identifié la personne responsable du retard, nous pouvons passer à l'étape suivante: lui faire porter la responsabilité de notre frustration, puisque nous décrétons que cette personne nous a fait du tort. Nous pouvons enfin accuser quelqu'un – du moins en pensée – d'être responsable de notre état. Nous souhaitons nous défouler et pour ce faire nous nous libérons de notre frustration en la déversant sur cette personne.

Dans une file où il y a du retard, c'est cet enchaînement de pensées qui se déroule dans la tête de tous ceux qui tendent le cou pour chercher un coupable en maugréant. Une fois le coupable identifié ces gens peuvent ensuite lui en vouloir, ce qui revient à l'attaquer en pensée. Pourtant, ils ne font que se défendre, raisonnent-ils. Le coupable les a attaqués en premier en causant le retard qui les a frustrés, et c'est ainsi qu'ils justifient leur réaction de lui en vouloir.

Accuser quelqu'un d'une telle attaque à notre endroit, c'est l'attaquer à notre tour. Dans la très grande majorité des cas, cependant, ces *attaques-réflexe* se font avant même de connaître les faits. Peu importe ce qui est arrivé, puisque tout ce que nous voulons, c'est nous soulager et, inévitablement, quelqu'un doit en payer le prix. L'ego est satisfait pour quelques instants puisqu'un coupable a été identifié, puis pointé du doigt.

Comme notre amour-propre ne saurait toutefois concevoir que nous attaquions quelqu'un sans raison, étant trop bien pour agir ainsi, nous trouvons une échappatoire : nous justifions nos attaques en évoquant l'autodéfense. Nous adaptons les circonstances en notre faveur en nous convainquant que nous sommes bel et bien une victime ; c'est la permission qu'il nous fallait pour passer du rôle de victime à celui d'attaquant. Comme nous avons réussi à nous justifier, nous ne sommes pas, à nos yeux, un individu qui en attaque d'autres sans raison. Notre bonne opinion de nous-même est intacte.

Ce transfert psychologique de victime à attaquant explique presque tous les actes répréhensibles. Ainsi, le plus grand criminel se donne la permission d'agir comme il le fait parce qu'il se dit victime de quelqu'un ou de quelque chose. En ayant l'impression d'avoir été attaqué – peut-être est-ce effectivement le cas – il ressent le besoin d'attaquer pour se faire justice. Le fait d'avoir été une victime lui donne-t-il le droit d'en faire une autre à son tour ? D'autre part, la question se pose : est-il réellement une victime ou est-ce lui qui en a décidé ainsi ?

Quand nous nous accordons la permission d'en vouloir à un individu qui cause du retard dans une file d'attente, nous usons du même transfert psychologique que les auteurs d'actes répréhensibles, même si c'est à un tout autre niveau. Le principe est néanmoins le même puisqu'en jugeant qu'on nous a fait du tort nous passons à l'attaque. Nous décrétons que nous sommes une victime parce que quelqu'un nous a retardé, puis nous nous transformons en attaquant : nous l'accusons pour ce retard.

Quiconque adopte cette attitude réagit comme un taureau qui fonce sur une étoffe rouge. À l'opposé, quelqu'un qui est bien dans sa peau ne cède pas facilement à la frustration et aux *attaques-réflexe* que cette frustration entraîne immanquablement dans son sillage.

Un individu frustré le demeurera toute sa vie s'il ne découvre pas pourquoi il l'est ou s'il ne choisit pas de ne plus l'être. Accuser l'extérieur est un vieux truc psychologique qui détourne l'attention de soi-même et qui est d'une efficacité redoutable... mais qui n'aide certainement pas à être heureux.

Un individu qui cause du retard détient-il pour autant le pouvoir de déterminer notre humeur ? Le rendre responsable de notre frustration voudrait dire qu'il nous force à être frustré. Si nous le sommes, c'est que nous choisissons de réagir ainsi. Nous avons toujours le dernier mot en ce qui a trait à nos états d'esprit et nos humeurs, et cela inclut la frustration.

Quand nous accusons autrui, nous camouflons en somme notre incapacité à demeurer patient, ce qui nous empêche de réaliser qu'il y aurait peut-être un aspect de nous à améliorer.

Une telle situation est pourtant une opportunité en or si elle nous permet de modifier notre attitude de façon constructive. Si nous saisissons l'occasion, nous sortirons gagnant de cet épisode, et plutôt que de résister à la vie, nous apprendrons à tirer profit du négatif en le transformant en positif. Voilà en quoi consiste la transformation intérieure.

Quel que soit le choix que nous faisons, un facteur très précis explique notre acceptation ou notre rejet de certaines pensées. Ce facteur est le suivant : lesquelles de ces pensées nous conviennent ? Souvenons-nous que l'être humain cherche à être heureux au plus profond de son être. C'est dire qu'il tend naturellement à choisir ce qui lui convient avant d'opter pour ce qui ne lui convient pas, et cela comprend ce qui se passe dans sa tête.

Nous voulons ce qui est le mieux pour nous et si nous optons pour le négatif, c'est que nous croyons que nous nous sentirons mieux ainsi. Prenons l'exemple de ceux qui choisissent de se laisser aller à la frustration. Est-ce que ce choix indique qu'ils souhaitent être malheureux ? Pas du tout. C'est signe qu'ils croient qu'ils se sentiront mieux ainsi. Peut-être cela fonctionnera-t-il momentanément, mais il est impossible d'être heureux en étant frustré ou négatif. Cependant, tout étant relatif, pour quelqu'un de frustré, se soulager de sa frustration est pour lui une forme de bonheur. Ce qui démontre que certains confondent « soulagement » avec « bonheur ».

Jamais, au grand jamais, la colère, la frustration ou l'impatience nous rendront heureux. Le bonheur ne s'acquiert pas aux dépens d'autrui. Seul l'ego peut être satisfait dans ce cas puisqu'il s'en sera pris à quelqu'un, ce qui lui aura permis d'attaquer et de se sentir par conséquent mieux, ou plus fort. Il n'y a que l'ego pour nous berner et nous faire croire que la guerre mène au bonheur. Celle-ci entraîne la division alors que le bonheur unifie.

Si nous recherchons le positif via le négatif, c'est que nous confondons l'ombre et la lumière. Nous le savons : les deux sont opposés. Est-il possible d'éclairer une pièce en éteignant une lampe ?

Un obstacle au bonheur

Jean n'aime pas que les gens soient désagréables avec lui. Il déteste qu'ils soient impatients ou peu courtois.

Jean s'est déjà fait dire qu'il ne se voyait pas tel qu'il était vraiment. D'abord surpris, il s'est mis à réfléchir et ce faisant, il s'est découvert plusieurs défauts qu'il ne soupçonnait pas. Dès lors il a cessé de noter les travers des autres ; il s'est plutôt employé à faire disparaître les siens, un après l'autre, avec objectivité et discipline. Il a toujours été reconnaissant envers cette personne à l'origine de ce profond changement en lui.

Un jour, Jean se rend au cinéma. Comme la file d'attente est longue il se met à converser et à blaguer avec d'autres personnes qui attendent. Arrivé à la caisse il demande à l'employée si la projection commencera à l'heure prévue. Débordée, elle lui répond brusquement que les publicités sont commencées. Jean se dit que cette femme doit être stressée et fatiguée pour lui avoir répondu sur ce ton. Il lui souhaite une bonne soirée après l'avoir remerciée.

Une connaissance de Jean lui a déjà fait remarquer qu'il ne se voyait pas tel qu'il était vraiment. Piqué au vif, il a mal réagi à cette observation et n'a plus jamais revu cette personne. Selon lui, elle était bien mal placée pour lui faire une telle remarque.

Un jour, Jean va au cinéma. Comme la file d'attente est longue il va demander à une employée si le début du film sera retardé afin de permettre à tout le monde d'entrer dans la salle. La femme, manifestement débordée, lui répond sur un ton agacé que la projection va commencer à l'heure, que les gens soient assis ou non. Offusqué, Jean réplique que les clients n'ont pas à être pénalisés pour l'incompétence des employés, puis il tourne les talons, se demandant comment quelqu'un de si impoli peut conserver son emploi.

Si nous acceptions de nous voir
tels que nous sommes,
nous nous verrions enfin comme
les autres nous voient.

Notre haute opinion de nous-même constitue souvent un obstacle au bonheur. En voici la preuve. Que se produit-il en nous quand nous subissons les défauts des gens? Nous les voyons tels qu'ils sont, c'est-à-dire moins parfaits qu'ils pourraient l'être. Nous souhaitons probablement que ces individus soient plus agréables à côtoyer.

Inversons les rôles et regardons-nous. Nous voyons-nous tels que nous sommes? Remarquons-nous nos défauts aussi facilement que nous remarquons ceux du voisin? Si oui, quelles mesures prenons-nous pour y remédier? Si nous ne faisons rien pour corriger nos défauts, cela prouve hors de tout doute que nos critères personnels sont bien faibles par rapport à ceux que nous établissons pour autrui. Pourquoi souhaiter que les autres changent et pas nous?

Si nous désirions changer avec autant de vigueur que nous reprochons aux autres leurs travers, nous y verrions immédiatement. Si nous n'y tenons pas, c'est que l'opinion que nous avons de nous-même est suffisamment haute pour nous satisfaire; dans ce cas, nous ne nous voyons pas tels que nous sommes réellement et par conséquent nous nous leurrons.

Quand nous devons nous gratter, cherchons-nous un moyen de le faire? Oui, bien sûr, parce que nous devons répondre à ce besoin, surtout s'il est pressant. Prétendre que ça ne nous pique pas ne changerait rien au fait que nous devions nous gratter. Cet exemple illustre de façon limpide cette réalité : quand il est question de nos besoins physiques nous y voyons généralement sans délai. Quand il s'agit de nos défauts, par contre, nous ne les voyons pas ou nous prétendons qu'ils n'existent pas, d'où notre bonne opinion de nous-même. Ils sont d'autant plus faciles à excuser que nous ne les subissons pas.

Si quelqu'un est agressif envers nous, nous le déplorerons bien assez vite. Si nous le sommes à notre tour envers quelqu'un, serons-nous dérangé tout autant ? Poser la question, c'est y répondre. Ne pas subir nos défauts fait en sorte que nous les excusons, ce qui veut dire qu'ils ne nous dérangent guère.

Si cette attitude est la nôtre, alors c'est que nous tendons vers le bas. En ce qui concerne les autres, pourtant, nous exigeons tellement plus. Quand il est question de nous, nous enjolivons notre comportement et c'est ainsi que nous nous illusionnons sur la personne que nous sommes. À ce chapitre, se pardonner est plus important que de traiter autrui comme nous souhaiterions l'être.

La façon qu'a l'ego de traiter les gens est infiniment moins importante que sa propre satisfaction. Il fait donc aux autres ce qu'il n'aime pas qu'on lui fasse. Deux poids, deux mesures ? Oui, certainement. À preuve, il brandit sans cesse des excuses et des justifications pour expliquer ses façons d'agir. Ses standards sont les plus bas qui soient, tout comme son respect envers autrui.

Si nous traitions véritablement les autres comme nous voudrions l'être, nous cesserions de nous trouver des excuses pour agir comme nous le faisons ; nous nous regarderions enfin avec honnêteté. Imaginez, si les gens se voyaient tels qu'ils sont... Eh bien, « les gens » ce sont nous aussi. Si nous acceptions de voir nos défauts, nous risquerions d'être surpris. Nous souhaiterions de tout coeur devenir un individu encore plus agréable à côtoyer, peu importe l'identité des gens autour de nous. Nous ferions alors preuve d'une très grande marque de respect envers nos semblables.

En croyant que certains *méritent* notre respect et d'autres pas, non seulement nous donnons-nous la permission de traiter autrui de façon cavalière si besoin est, mais ce faisant, nous déterminons que nous ne voulons pas être heureux au contact de certains individus. Cette prise de position illustre bien cette condition que nous imposons au bonheur : dans certaines circonstances nous acceptons d'être heureux, dans d'autres nous refusons de l'être.

Pourquoi faire une telle sélection ? Parce que le fait d'être sélectif permet à l'ego de jouer un petit jeu qu'il affectionne : celui de classer les individus selon ses critères personnels. Il se forcera pour montrer un bon côté de lui et pour bien traiter ceux qui peuvent lui apporter quelque chose, et tant pis pour les autres.

À partir du moment où cette attitude est la nôtre, nous sommes voué à diviser les personnes et les circonstances en deux catégories : celles que nous acceptons et celles que nous rejetons. C'est ainsi que : *Je suis un individu agréable à côtoyer, peu importe les gens ou les circonstances* se transforme en : *Je suis un individu agréable à côtoyer seulement si les gens et les circons-*

tances me plaisent. Voilà d'où provient ce clivage dans notre tête qui fait que nous devenons sélectif.

Plus nous nous efforçons de nous améliorer et de nous montrer sous notre meilleur jour, plus nous contrecarrons les plans de l'ego qui aime faire le difficile. Nous délaissons son manque de constance pour privilégier l'engagement ferme envers nous-même, lequel fera de nous un individu plaisant en tout temps.

Quelle est notre vision de la vie ? Sachons que rien n'est plus facile qu'être négatif... comme rien n'est plus facile qu'être positif. Ces deux visions opposées que nous pouvons avoir reflètent notre motivation première : déplorons-nous l'ombre ou apprécions-nous la lumière ? Cela détermine notre attitude face aux gens et aux circonstances. La différence, à priori, entre deux individus qui voient la vie de façon contraire, est que l'un choisit le plein et le positif, tandis que l'autre opte pour le vide et le négatif.

Quand notre attention se porte sur le vide, nous voyons d'abord ce qui manque. Cette attitude a comme résultat de nous faire déplorer ce que nous n'avons pas. Celui qui est constamment insatisfait ne cesse de comparer ce qu'il a avec ce qu'il n'a pas ou avec ce qu'il pourrait avoir. Rien n'est plus efficace pour récolter le regret et l'amertume. Lorsque nous cultivons ces alliés du malheur, il est naturel que nous cherchions des coupables afin d'évacuer notre malaise.

Si nous choisissons de pointer des coupables, pouvons-nous avouer que c'est notre vision des choses et notre refus de lâcher prise qui font en sorte que nous sommes malheureux ? Cette attitude nous empêche de vivre au présent et, surtout, d'apprécier ce que nous avons.

Si nous comparons constamment ce que nous avons avec ce que nous estimons qu'il nous manque, nous vivons partout sauf dans le présent. Ainsi, les reproches que nous distribuons pour apaiser notre ressentiment, visent très souvent des événements du passé. Si nos parents nous avaient mieux traité, si la vie nous avait favorisé, si nous avions eu plus de chance... nous serions heureux aujourd'hui, car nous aurions tout ce qu'il nous faut pour l'être. Mais que nous faut-il donc pour connaître le bonheur, et comment le passé peut-il nous aider à l'obtenir ? D'autre part, si nous ne sommes pas heureux avec ce que nous avons, nous ne le serons pas davantage avec ce que nous pourrions acquérir... car il nous manquera toujours quelque chose.

Au lieu d'envisager d'être heureux maintenant, celui qui ressasse le passé pour identifier des coupables perd un temps précieux. Il pourrait investir ses énergies dans le bonheur plutôt que dans le malheur, et faire en sorte que sa vie s'améliore proportionnellement.

Comment identifier quelqu'un qui ne vit pas au présent ? Quiconque s'accroche au passé avec l'objectif d'accuser les circonstances ou les gens, s'inscrit dans cette catégorie.

Un jour, peut-être, cet individu en aura-t-il assez des regrets et des excuses qui l'empêchent de vivre au jour le jour ; il réalisera que la vie a passé et qu'il n'était pas là pour profiter d'elle. Il était quelque part dans le passé ou rêvait du futur, mais il était absent dans le présent. Est-ce qu'il pourra toujours blâmer les circonstances ? La vie ressemble à un train : quand elle passe, il faut monter à bord sinon elle poursuit sa route sans nous.

Quand nous semons le regret, nous risquons fort de récolter l'amertume. Quand nous sommes amer, nous cherchons un responsable au lieu de reconnaître que nous avons préféré rester accroché à ce qui n'allait pas. Tout peut toujours être différent, c'est entendu. Et alors ? Entretenir le regret, c'est comme marcher en regardant à terre. Comment voir ce qui se passe autour de nous quand nous ne levons pas les yeux ?

Le bonheur n'est pas comme une voiture : aucune option n'y est rattachée. C'est lui qui est l'option. Ou bien nous choisissons d'être heureux, ou bien nous choisissons de ne pas l'être. Voilà notre choix.

TROISIÈME PARTIE

LES SOLUTIONS

Nous avons toujours le choix

Le mécanisme de la pensée

Retrouver le bonheur de l'enfance

Nous avons toujours le choix

Jean devait recevoir un couple d'amis à souper mais ils se désistent le soir même, à la dernière minute, alors que tout est prêt.

Jean est bien d'accord avec le fait que les circonstances ne peuvent rien contre nous si nous avons choisi de ne pas nous laisser abattre. C'est ainsi que les événements négatifs l'affectent peu. En parvenant à se motiver lui-même il rebondit vite et n'est jamais déçu longtemps.

Jean comprend la situation et sait bien que ses amis l'auraient averti plus tôt s'ils avaient pu. Il leur promet de les réinviter bientôt. Malgré la tournure des événements, il choisit néanmoins d'apprécier son repas même s'il est seul.

Jean a rencontré quelqu'un, un jour, qui lui a expliqué que pour moins se laisser abattre par certaines circonstances, il suffit de comprendre qu'elles n'ont rien à voir avec ce que nous choisissons de penser. Jean aimerait bien le croire, mais les faits sont ce qu'ils sont : il a préparé un souper pour ses amis et ces derniers ne viendront pas.

Jean est affreusement déçu et très froissé. Il en veut à ses amis de ne pas l'avoir averti plus tôt. Préparer ce repas lui a pris beaucoup de temps et il se faisait une joie de les recevoir. Non seulement tout est gâché, mais il a perdu son après-midi à cuisiner, songe-t-il avec amertume.

Pourquoi être impatient
quand nous pouvons être patient ?
Pourquoi choisir le négatif
quand le positif est accessible ?

Être négatif, c'est être prisonnier de son propre système de pensées négatives. Ainsi, celui qui voit ce qui lui manque remarquera les nuages dans le ciel mais ne verra pas le bleu derrière. Il se dira que si ces nuages n'avaient pas été là, le ciel aurait été bleu. Il ne voit pas que le ciel est bleu, malgré quelques nuages !

Une personne prisonnière de son système de pensées négatives ne sait pas comment s'en sortir par elle-même... puisqu'elle ignore être prisonnière. Elle est tellement accaparée par les circonstances qu'elle juge être négatives, qu'elle ne songe ni à modifier ses pensées, ni à voir les choses autrement. Encore moins à remettre en question sa conception de la vie.

Un individu qui prend la décision de réagir négativement fait nécessairement le choix d'entretenir des pensées négatives. C'est dans cet état qu'il vivra au lieu d'être positif. Or, choisir la négativité, c'est être *réactif*. Pensons à l'exemple de ce chapitre : c'est se faire dire par des amis qu'ils ne viendront pas souper et se laisser aller à la colère, par exemple. En d'autres mots, c'est laisser un événement qui nous affecte déterminer notre humeur. À l'opposé, opter pour la positivité c'est être *actif* et choisir de rebondir en conservant une belle attitude. C'est aussi être maître de nos humeurs grâce à notre faculté de relativiser : malgré notre déception ce n'est pas la fin du monde, et nous sommes toujours en vie. N'est-ce pas ce qui compte ?

Quand il est question du bonheur, nous pouvons nous demander : *Qu'est-ce que je souhaite vivre comme état ?* Si nous choisissons véritablement le positif et que nous acceptons de nous impliquer, nous acceptons également la responsabilité de ce choix. Cela signifie que nous penserons, parlerons, agirons comme quelqu'un qui est positif.

Si nous décidons d'opter pour le bonheur une fois pour toutes, nous nous retirons l'option d'être malheureux et nous n'avons plus la permission de réagir négativement. Nous acceptons que les circonstances soient ce qu'elles sont, sans pour autant modifier notre état d'esprit si elles semblent peu favorables.

Si, au contraire, nous accusons encore les circonstances de nous rendre malheureux, alors que vaut notre engagement personnel ? Ne devrions-nous pas être capable de nous encourager nous-même à endosser la responsabilité de notre choix et, ce faisant, adopter l'attitude de quelqu'un qui est heureux ?

Voyons ce qui se produit quand nous faisons un choix, puis que nous le renions. Prenons l'exemple suivant. Si nous choisissons une bicyclette et acceptons de l'acheter, à quoi bon, par la suite, l'accuser de nous avoir fait perdre une course ? Qui l'a choisie, et qui a accepté de l'acheter ? Faire preuve d'honnêteté, dans ce cas, c'est reconnaître que nous avons fait un mauvais choix à la base. La bicyclette ne nous a forcé ni à la choisir ni à l'acheter. Elle n'a pas à être tenue responsable pour notre frustration ou notre déception. Nous avons fait un mauvais choix, voilà tout. Ou s'il était bon, il ne nous convient tout simplement plus.

Peu d'entre nous songerions à accuser une bicyclette de nos malheurs. Pourtant, nous faisons preuve d'un grand manque d'honnêteté dans bien des cas. Ainsi, faire porter aux gens ou aux circonstances la responsabilité de nos mauvais choix serait l'équivalent de dire de la bicyclette qu'elle est fautive si nous n'avons pas gagné la course.

Quelqu'un qui se marierait et qui par la suite, accuserait son conjoint de le rendre malheureux, ne prendrait pas la responsabilité de son choix. Qui l'a forcé à choisir cette personne et à l'épouser? En se mariant, cet individu faisait peut-être reposer implicitement sur son conjoint la responsabilité de son bonheur et c'est pourquoi il lui reproche de ne pas le rendre heureux.

Mariage et bonheur devraient bien sûr aller de pair, mais plusieurs se marient *pour* être heureux. C'est en grande partie ce qui explique que les attentes déçues se transforment en divorces qui se déroulent mal. Si les gens étaient heureux avant de se marier, ils ne pourraient pas reprocher à leur conjoint de ne pas les rendre heureux... puisqu'ils le seraient déjà.

Le transfert de responsabilité en ce qui a trait au bonheur est courant et explique le ressentiment de certains individus envers bien du monde. Quelqu'un, par exemple, qui ferait le choix d'être grossier et qui se plaindrait ensuite que les gens sont peu sympathiques à son endroit, « oublierait » le choix qu'il a fait d'être grossier.

À cet égard, nous récoltons exactement ce que nous semons. Regardez la nature: impossible de récolter de la laitue si nous semons du céleri. Les gens heureux savent qu'ils sèment le bonheur et qu'ils le récoltent.

Toute notre vie nous faisons des choix. S'ils ne font plus notre affaire, alors à nous d'y voir et d'en faire de nouveaux ; à nous d'en porter la responsabilité dans un cas comme dans l'autre. C'est nous et personne d'autre qui déterminons ce que nous voulons semer.

Ce qui nous amène à aborder le sujet des relations interpersonnelles et à nous demander à quoi les gens réagissent en notre présence. Ils réagissent d'abord à notre attitude, même s'ils n'en sont pas tout à fait conscients. Or, cette attitude est une question de choix. Si nous sommes assez conscient pour réaliser que nous ne récoltons pas ce que nous souhaitons récolter, alors il nous revient de modifier notre attitude. Les gens nous fuient-ils ou viennent-ils à nous ? Convenons ensemble qu'une personne qui est négative ou qui fait preuve de froideur envers les gens est bien moins attirante qu'une personne qui est positive et chaleureuse.

Quand nous identifions nos faiblesses, nous pouvons les transformer en forces et ainsi modifier notre attitude. Prenons le cas des grands sportifs ; ceux-ci remportent succès après succès car ils apprennent de leurs erreurs. C'est pourquoi on vous dira qu'ils ne commettent jamais la même faute deux fois. Ils sont leur premier critique, voulant toujours s'améliorer, et ils tiennent à conserver leur niveau d'excellence. Certes ils ont du talent mais ils ont aussi cette faculté de s'ajuster aux circonstances, ce qui fait que tout leur semble facile. Cela paraît facile justement parce qu'ils ont la faculté de tirer le meilleur des circonstances, quelles qu'elles soient. C'est ainsi qu'ils les dominent plutôt que d'être dominés par elles.

Les grands sportifs essaient d'exécuter des mouvements, par exemple, puis observent les résultats. Si ces derniers ne répondent pas à leurs critères élevés, alors ils tentent autre chose, jusqu'à atteindre ce qu'ils visent. Les champions orientent leurs efforts en fonction d'un but élevé. Chaque fois qu'un as du tennis frappe la balle, il tient compte de la façon dont elle lui est renvoyée par son adversaire. Il accorde autant d'importance à sa manière de frapper qu'à « comment » la balle lui est renvoyée.

Il sait bien que si c'est lui qui mène le jeu il aura l'avantage, et son adversaire n'aura d'autre choix que de réagir à ses coups. C'est ainsi que dominer son sport exige la maîtrise de ses mouvements. Les champions savent que pour atteindre les buts élevés qu'ils se fixent, ils doivent limiter leurs erreurs, et c'est ce qui fait qu'ils atteignent la maîtrise de leur art.

Dans le cas du tennis, un individu qui apprend à pratiquer ce sport est satisfait de simplement frapper la balle. Puisqu'il doit d'abord apprendre à frapper, il n'est pas encore en mesure, à cette étape, de mener le jeu. Lorsqu'il parviendra à placer la balle exactement où il le voudra, et ce afin de prévoir comment elle lui sera renvoyée, alors il aura atteint la maîtrise de ses coups; pas avant.

Il en va dans le sport comme dans la vie. C'est-à-dire qu'à partir du moment où nous maîtrisons nos pensées, nos paroles, nos actions, nous devenons l'équivalent d'un champion qui sait fort bien que son adversaire réagit à sa façon de jouer.

Les gens réagissent à nous selon ce que nous disons et faisons, et selon notre attitude. En avons-nous conscience ? Sommes-nous conscient que ce qui émane de nous a un impact sur eux, tout comme une balle frappée par un joueur a un impact sur son adversaire ? À cet égard, nous contentons-nous de jouer ou aspirons-nous plutôt à la maîtrise de nous-même ?

Un mot sur la physique, tant que nous y sommes. Une de ses lois stipule que pour toute action il y a une réaction égale et opposée. Adaptée à notre quotidien, cette loi signifie que si nous avons une approche agréable envers les gens, ceux-ci se montreront en général tout aussi agréables à notre endroit. C'est une loi de la physique !

Maîtriser ses pensées, ses paroles et ses actions en visant le meilleur de soi-même permet de réaliser que la balle est toujours dans notre camp et que les circonstances nous sont automatiquement favorables quand notre attitude l'est aussi.

Un individu heureux a appris de ses faiblesses et les a transformées à son avantage, tout comme le champion de tennis. Cet individu a développé la faculté de s'ajuster aux circonstances, ce qui a comme effet qu'être heureux lui semble facile. Il ne tente pas de changer l'extérieur à tout prix. Si, par contre, il s'y essaie, il demeure néanmoins maître de ses coups et conserve toujours le même but ultime en tête : continuer à être heureux. C'est donc là-dessus qu'il s'aligne, et cette stratégie lui permet d'exceller dans l'art de la vie.

Pour découvrir si nous sommes un champion ou un simple joueur, demandons-nous si nous visons la maîtrise de nous-même ou pas, et si nous le faisons dans le but d'améliorer notre vie et celle d'autrui.

Nous décidons constamment de ce que nous voulons semer. Comme nous usons à chaque instant de notre pouvoir et de notre privilège de choisir, nous déterminons constamment ce qu'il nous convient de penser ou pas. Exactement comme nous choisissons un couvre-pied ou un gâteau d'anniversaire. Ce n'est pas parce qu'une pensée se trouve dans notre tête et non sur un étalage de magasin que nous ne pouvons pas la choisir. Pour ce faire il suffit de reculer d'un pas, comme pour mieux voir un couvre-pied, et juger si la pensée nous convient. Le même processus peut accompagner toute parole et toute action.

Qu'est-ce qui détermine les pensées qui nous conviennent? La même chose qui fait que nous choisissons le couvre-pied bleu et non le vert: le bleu nous convient davantage. Il en va de même pour tout ce que nous pensons. Si nous choisissons la pensée « x », c'est que nous écartons la « y » ou la « z ».

Quelles que soient les pensées que nous retenons, elles se succèdent et forment des chaînes dans notre tête. Mises bout à bout, ces chaînes forment nos états d'esprit. Ce qui se passe dans notre tête étant sous notre contrôle, nous avons toute la latitude voulue pour choisir l'état d'esprit le plus bénéfique qui soit.

Changer d'humeur au gré des événements revient à passer du positif au négatif sans discernement, en récoltant au passage les conséquences qui accompagnent cette décision. En effet, n'oublions pas que quand nous pensons négativement, le résultat en est que notre atmosphère intérieure est négative. Quand, par contre, nous acceptons d'être heureux, nous optons pour le positif et c'est un état similaire qui nous habite.

Reprenons. À chaque seconde, à notre insu, nous faisons le tri de nos pensées, car l'une n'attend pas l'autre. Cette succession, qui se fait à la vitesse de l'éclair, forme un enchaînement qui, en bout de ligne, détermine comment nous nous sentons. Ce processus, nous l'alimentons nous-même en choisissant une pensée plutôt qu'une autre.

Les pensées vont de la plus positive à la plus négative, de la plus constructive à la plus destructive. Lesquelles nous conviennent ? Celles qui servent l'ego ou celles qui nourrissent notre besoin fondamental d'être heureux ?

Pour moins se laisser affecter par les circonstances, répétons-nous qu'elles n'ont rien à voir avec ce que nous choisissons de penser. Saisir cette réalité permet de réaliser que chaque jour nous faisons des choix lourds de conséquence puisque chacun d'entre eux détermine la qualité de notre quotidien et façonne notre vision de la vie.

Qu'en est-il des gens qui défendent leur attitude désagréable en évoquant leur caractère ? Tenter de justifier nos façons de penser, de parler et d'agir en rejetant la faute sur notre caractère est un réflexe qui démontre que nous nous dissocions de nos défauts parce que nous désirons conserver la haute opinion aveugle que nous avons de nous-même. Comme si nous ne pouvions nous empêcher d'être colérique, par exemple, parce que cela fait partie de notre caractère. Et notre volonté ? Ne peut-elle rien faire pour nous inciter à être moins prompt à la colère ?

Je n'y peux rien, je suis fait comme ça est le passe-partout idéal pour camoufler l'absence de volonté de changer. Il est vrai que *Je ne veux pas changer* révélerait de la mollesse. L'ego aime se dire victime de son caractère en affirmant qu'il n'y peut rien, mais cela ne change rien au fait que nous pouvons toujours nous améliorer. À preuve : si nous pouvons nous montrer charmant avec quelqu'un que nous aimons, comment expliquer que ce charme disparaisse quand nous nous retrouvons pris dans un ascenseur en plein été, coincé au milieu d'inconnus ?

Cela n'a rien à voir avec notre caractère. C'est nous qui décidons de ne pas être charmant à ce moment-là car nous estimons que nous n'avons rien à gagner à l'être. Pourtant, si nous le désirions, nous pourrions l'être dans n'importe quelle circonstance puisque nous le sommes parfois.

Notre charme fait-il partie de notre caractère, ou les circonstances déterminent-elles notre comportement ? Nous montrer sous notre meilleur jour avec certaines personnes correspond à être heureux dans certaines circonstances seulement. C'est cette réalité qui nous échappe quand nous nous accordons la permission de ne pas être heureux. Nous nous refusons alors le bonheur d'être bien non seulement avec les autres, mais d'abord avec nous-même.

Nous possédons, potentiellement, toutes les qualités de nos défauts. Et aussi, tous les défauts de nos qualités. Pourquoi osciller entre ces deux extrêmes au gré des circonstances ? Quiconque choisit d'être impatient pourrait tout aussi bien choisir d'être patient. Pourquoi opter pour le défaut quand la qualité est tout aussi accessible ? Ne serait-ce pas par manque de volonté ?

Notre soi-disant caractère tient donc beaucoup à la façon dont nous choisissons de nous comporter dans telle ou telle circonstance. En ce qui a trait au caractère, choisir, c'est décider quel genre de personne nous souhaitons être. Si nous sommes agréable avec certains, c'est que nous choisissons de l'être. Si nous sommes désagréable, c'est aussi un choix.

Nous serions les gens les plus épanouis sur terre si nous étions à notre meilleur dans n'importe quelle situation ; quoi de plus agréable et d'attirant pour ceux et celles qui nous côtoient qu'une personne souriante et bien dans sa peau ?

Pourquoi vouloir changer au gré des circonstances ? En étant une personne qui fait preuve de constance dans son attitude positive, nous nous faisons un cadeau extraordinaire. Pensons-y : nous devons vivre avec nous-même pendant toute notre vie ! Si nous souhaitons que notre conjoint, par exemple, ait toutes les qualités, comment ne pas souhaiter la même chose pour soi ? En offrant le meilleur de nous-même le plus souvent possible, peu importe où, quand et avec qui, alors quelle joie pour nous... et notre entourage.

Le mécanisme de la pensée

Jean est sur une route de campagne où la circulation lente est de mise, et une voiture le dépasse à vive allure.

PRENEZ LE TEMPS DE CHOISIR CE QUE VOUS VOULEZ PENSER. Jean s'arrête devant cette phrase affichée dans une librairie. Une cliente lui demande ce que cela veut dire. Jean lui répond que quoi qu'il arrive, nous pouvons toujours décider de réagir de façon positive ou négative. Prendre quelques secondes pour y réfléchir nous permet de choisir notre attitude plutôt que de réagir sans discernement. Jean sait bien qu'il choisit en tout temps son attitude. Les circonstances sont ce qu'elles sont, mais cela n'empêche pas qu'il demeure un homme en paix et heureux. En ne se permettant que des pensées constructives, il a réalisé qu'elles lui permettaient d'entretenir une atmosphère intérieure harmonieuse et que la qualité de sa vie s'était incroyablement améliorée.

En apercevant une voiture le dépasser à folle allure sur une route de campagne, Jean réagit en espérant que le chauffeur de ce véhicule ne causera pas un accident. Il se dit que cet homme doit être très pressé pour conduire à cette vitesse, ou qu'il n'a pas conscience des dangers de son comportement.

PRENEZ LE TEMPS DE CHOISIR CE QUE VOUS VOULEZ PENSER. Jean lit cette phrase affichée sur le mur d'une librairie. Alors qu'il tente de la comprendre, une cliente s'arrête à son tour et lui raconte que chaque fois que son enfant fait une gaffe elle prend quelques secondes avant de réagir ; ce qui lui permet de ne pas parler sous le coup de l'émotion, de retrouver son objectivité et de bien choisir ses paroles. Jean est convaincu que nous pouvons dire ce que nous voulons et agir comme nous l'entendons. Si les gens ne sont pas contents, c'est leur problème. Un jour qu'une voiture le dépasse à vive allure sur une route de campagne très étroite, Jean se met dans tous ses états. Il réagit vivement et se lance à sa poursuite pour faire savoir au chauffeur sa façon de penser. Il est insulté d'avoir été dépassé et estime que ce chauffard représente un danger public.

risque accident

*Les pensées négatives n'ont
qu'un seul pouvoir sur nous,
celui de nous garder prisonniers d'elles
si nous ne réagissons pas.*

Qui sommes-nous? Nous sommes notamment ce que nous pensons, ce que nous disons, ce que nous faisons. Ces trois aspects de notre personne déterminent notamment comment nous nous sentons. Comme dans un cercle vicieux, cet état d'esprit façonne à son tour nos pensées, nos paroles et nos actions.

Si celles-ci sont négatives, notre vision des choses le sera tout autant. Au contraire, si elles sont lumineuses, alors c'est de la lumière qui jaillira de nous et cette réalité sera d'autant plus agréable que nos relations interpersonnelles refléteront cette paix en nous.

Qui voulons-nous être? Si nous disons que nous n'y pouvons rien, nous avons décidé d'être une victime qui a choisi de laisser l'extérieur déterminer comment elle devait agir et réagir.

Notre état d'esprit peut se transformer en moins de temps qu'il n'en faut pour le dire. Par exemple, quand nous nous sentons dépourvu face à certaines circonstances, nous manquons d'assurance, ce qui est désagréable. Plus nous nous sentons ainsi, moins nous pensons clairement. Pourtant, pour retrouver notre assurance, il suffit de maîtriser le contenu de nos pensées. En effet, si nous ne pouvons pas toujours faire ce que nous voulons, nous demeurons toujours libre de penser ce que nous voulons. Or, maîtriser nos pensées permet de retrouver notre assurance.

Pour redevenir sûr de soi il suffit de faire abstraction pendant un moment des circonstances devant lesquelles nous nous trouvons, le temps de choisir les pensées qui nous conviennent. Le choix est vaste, profitons-en pour choisir ce qui nous aidera.

Quand nous nous sentons à la merci des circonstances, c'est que nous avons laissé nos pensées être déterminées par l'extérieur. Si tel est le cas, il suffit de choisir autre chose. Dans ce cas, *savoir, c'est pouvoir*. Savoir que nous pouvons choisir permet de ne retenir que les pensées qui nous restabilisent. Cela fait, nous sommes plus confiant, et les circonstances semblent tout à coup moins dramatiques ; non seulement nous sommes mieux disposé, mais nous avons aussi retrouvé notre équilibre.

Nous pouvons toujours choisir et nous n'avons absolument rien à faire pour nous réapproprier ce privilège. Nous l'avons toujours eu et nous l'aurons toujours. Il ne nous a jamais quitté, c'est plutôt nous qui l'avons quitté en oubliant qu'il nous appartient.

Un mot, tandis que nous y sommes, sur le pouvoir de la négativité. Les pensées négatives n'ont qu'un seul pouvoir sur nous, celui de nous garder prisonnier d'elles si nous ne réagissons pas. Comment réagir ? Une seule pensée positive suffit. Il s'agit de le faire une fois volontairement pour réaliser que nous en sommes toujours capable.

Une fois que nous sommes conscient du phénomène de la pensée, c'est-à-dire que nous réalisons que nous pouvons les dominer et ne plus être dominé par elles, pourquoi accepterions-nous de retomber dans la négativité ?

Améliorer notre vision de la vie et la qualité de notre quotidien exige notre implication. Combien de temps cela prend-il ? Le temps nécessaire pour nous convaincre de faire de nouveaux choix... puis de penser, de parler et d'agir en conséquence.

Dominer nos pensées est un préalable au bonheur puisque cela permet d'être libre où ça compte, soit entre les deux oreilles ! Tant que nous ne réalisons pas que nous entretenons nous-même notre négativité, nous n'avons pas la connaissance voulue pour savoir comment réagir. Pourtant, opter pour le bonheur est simple. Nous n'avons nullement à combattre les circonstances, notre intervention se situant à un autre niveau, soit celui de la pensée. C'est là que se trouve le véritable pouvoir d'être heureux. Une fois que nous sommes heureux, nous pouvons faire face à n'importe quoi... et à n'importe qui.

Pour faire preuve de constance, les pensées que nous accepterons après avoir choisi d'être heureux, doivent refléter ce choix. À ce sujet, maîtriser ce que nous pensons n'est pas plus difficile que l'entraînement d'un muscle. Par contre, s'y mettre et persévérer est la seule façon d'y arriver.

Plus nous devenons conscient de ce qui se passe dans notre tête, plus il devient rare de penser négativement, cela nous attirant de moins en moins. Ce processus est proportionnel : plus nous comprenons que nos pensées sont soumises à notre acceptation ou à notre rejet, plus nos critères de sélection s'affinent. Ainsi, notre rejet de ce qui n'est pas constructif a comme résultat que notre cerveau est rééduqué. Comme l'attrait du positif augmente, celui-ci occupe de plus en plus de place en nous, jusqu'à ce qu'il devienne un réflexe.

Comprendre le mécanisme de la pensée mène tout droit à sa maîtrise. Réaliser en quoi il consiste, c'est se donner les moyens de transformer les réflexes qui nous rendent malheureux en réflexes qui font de nous des gens heureux. En admettant que nous réagissons souvent de façon négative, par exemple, nous pouvons nous donner les moyens de rééduquer notre cerveau.

Pendant des années nous avons peut-être réagi aux circonstances sans grand discernement et avons ainsi laissé notre cerveau sans « surveillance ». Lui enseigner une autre façon de penser est possible mais exige une attention et un effort de tous les instants.

Comme nous sommes maître de ce qui se passe dans notre tête, il nous incombe de déterminer ce que nous souhaitons enseigner à notre cerveau. Que voulons-nous que ses réflexes soient? C'est à nous d'y voir car, laissé à lui-même, il ne changera pas.

Examinons, pour commencer, la fâcheuse tendance qu'a l'être humain « d'oublier », quand cela lui convient, que lui seul détermine son comportement. En fait, quand l'humain est patient, compréhensif, ou aimant, par exemple, il en prend habituellement tout le mérite. Allons à l'opposé et avouons que quand quelqu'un est colérique ou impatient ou de mauvaise humeur, c'est, curieusement, la faute des autres.

Dans la très grande majorité des cas, notre premier réflexe, quand nous sommes en colère, est de nous déresponsabiliser: *C'est de sa faute si je suis dans cet état!* La mémoire étant une faculté qui oublie, nous avons préféré oublier que nous avions aussi le choix de ne pas nous mettre en colère.

Il n'y a, à cette réalité, aucune exception. À tout moment, en toutes circonstances, cette fraction de seconde existe toujours où nous faisons face à cette question : *Comment vais-je agir ou réagir ?* Si nous ne répondions pas à cette question nous ne pourrions rien faire. Par exemple ? Si nous ne décidions pas de rire, nous ne pourrions pas rire. Nous avons *d'abord* choisi de le faire, *puis* nous l'avons fait. Impossible de rire en premier, et de décider après.

Nous n'avons pas toujours conscience des mille et une décisions que nous prenons quotidiennement. S'il fallait faire un choix conscient chaque fois que nous avançons la jambe, entre autres, marcher deviendrait épouvantablement laborieux. Ce choix est néanmoins fait à chaque pas, et c'est ce qui donne l'ordre à notre jambe de se soulever.

Dans ce cas, le processus est tout à fait inconscient. À d'autres moments nous en avons parfaitement conscience, comme quand nous achetons des gants. Nous pensons, nous comparons, nous essayons. Au restaurant, nous prenons le temps de réfléchir à ce que nous voulons commander. En nous habillant le matin, nous choisissons nos vêtements.

Par contre, quand nous nous mettons en colère, nous ne prenons pas le temps de déterminer consciemment ce que nous choisissons. En fait, la colère est un réflexe de l'ego : quelque part il s'est senti attaqué. En une fraction de seconde, il choisit de se défendre et, pour se venger, il contre-attaque. Pour corriger ce réflexe bien établi, il est nécessaire de remonter à la source de la décision : pourquoi avoir écouté l'ego ?

Quand nous accusons quelqu'un d'avoir gâché notre journée à cause de ce qu'il nous a fait, c'est que nous avons décidé qu'il était plus important d'en vouloir à cette personne que de passer une belle journée. Nous avions pourtant la possibilité de réagir autrement, mais l'ego, qui adore la discorde, a parlé et nous l'avons écouté.

Que s'est-il passé réellement pendant cette fraction de seconde où nous avons eu le temps de décider comment nous réagirions? La guerre et la paix se sont présentées à nous, et nous avons choisi la première.

Psychologie 101: l'être humain est prêt à accuser bien des gens pour ses malheurs avant de reconnaître qu'il a le choix de réagir comme il le souhaite devant toute circonstance. Son malheur n'est donc pas tant ce qui lui arrive que le choix qu'il fait d'y réagir comme il le fait.

Le réflexe de chercher un coupable pour expliquer nos malaises intérieurs est profondément ancré en nous. Pourtant, cette habitude n'a rien de constructif et le réaliser est suffisant pour nous la faire abandonner.

Ce réflexe provient de notre vision physique, qui est dirigée vers l'extérieur et qui est donc unidirectionnelle. Nos yeux nous permettent de voir tout ce qui nous entoure sauf notre propre visage. Pour le regarder, il nous faut utiliser un miroir, à défaut de quoi nous ne voyons bien sûr que le visage d'autrui.

Que se passe-t-il quand nous cherchons un coupable? Nous nous servons de notre vision physique pour scruter tout ce qui nous entoure, sauf nous-même. C'est donc dire que nos pensées, qui sont un processus mental, se limitent à emprunter la vision physique de nos yeux, qui scrutent l'extérieur. Ce n'est donc pas pour rien que nous ne voyons que les autres quand nous recherchons un coupable.

Quand nous nous comportons ainsi, nous « oublions » de nous regarder. Développer notre vision bidirectionnelle est essentiel pour cesser de ne voir que l'extérieur. C'est cette vision qui nous permet de regarder dans notre propre direction, ce qui fait que nous pouvons réfléchir sur nous-même et sur les choix que nous faisons.

Reconnaître que nous sommes responsable de ce que nous pensons, c'est se placer devant un miroir et être en mesure de nous observer pour ce que nous sommes, sans échappatoire. Si notre journée est gâchée, demandons-nous pourquoi elle l'est et, surtout, pourquoi nous cédons à cette affirmation. Poursuivons l'exercice en nous demandant si le fait de penser ainsi est bénéfique et en quoi cela améliorera notre vie.

Retrouver le bonheur de l'enfance

Jean attend une amie en compagnie de sa petite nièce. C'est l'été, il fait très chaud. Comme ils se sont fixé rendez-vous au coin d'une rue, c'est là que Jean et sa nièce attendent.

Jean trouve que les chiens ont une attitude extraordinaire, et il a d'ailleurs beaucoup appris à les observer. Bien sûr, il n'est pas ami avec tout le monde, mais il n'en veut à personne. Il a pris l'habitude d'accorder le bénéfice du doute et il ne prête pas de mauvaises intentions aux autres.

En attendant son amie, Jean constate qu'il fait très chaud mais comme il n'y peut rien, il suggère à sa nièce de jouer à compter les voitures rouges qui passent devant eux. Puis, il se met à imaginer, avec elle, une piscine remplie de glace. Il explique à sa nièce que son amie, qui avait promis qu'elle arriverait à l'heure, doit se faire du mauvais sang. Quand elle arrive enfin, vingt minutes plus tard, il la salue de loin et lui fait un sourire en montant dans la voiture.

Un ami de Jean lui a déjà dit que si notre attitude ressemblait à celle d'un chien, nous n'en voudrions pas aux gens, quoi qu'ils fassent. Nous serions toujours heureux, pas rancuniers, et aussi, très faciles à contenter. Jean trouve que les chiens sont bêtes car même si leur maître les traite mal, ils ne lui en veulent pas. Si Jean juge que quelqu'un lui a fait du tort, il lui en veut, au contraire. Il est content de ne pas avoir l'attitude d'un chien.

En attendant son amie, Jean se plaint à voix haute qu'il fait très chaud et qu'il n'y a pas d'endroit où se mettre à l'ombre. Ce n'est pas qu'il est négatif, mais il répète à sa nièce qu'une telle chaleur est insupportable. Il guette chaque voiture en clamant tout haut que son amie lui avait pourtant promis qu'elle serait là à l'heure. Il commence à lui prêter des mauvaises intentions et il lui en veut de les faire attendre. Quand elle se pointe enfin, avec vingt minutes de retard, il affiche un air vexé en montant dans la voiture.

Transformer nos pensées négatives
en pensées positives
représente une étape clé.
Ces efforts graduels rééduquent
doucement notre cerveau.

Il est difficile de parler du bonheur sans aborder le thème de l'enfance et de son innocence. En somme, tant que l'enfant ne succombe pas aux besoins de l'ego, il est heureux. C'est notamment au contact de son entourage, auquel il s'identifie de façon toute naturelle, qu'il découvre peu à peu l'existence d'autres besoins et qu'il les adopte avec le temps.

Précisons que le développement de son ego, et donc de son individualité, est une nécessité absolue et aussi naturelle que le développement physique. C'est pourquoi l'enfant ne peut s'y soustraire ; il est, après tout, un individu à part entière.

Mais restons-en à l'étape « pré-ego » et parlons de l'innocence de l'enfance. Le symbole parfait de cette innocence, c'est l'enfant qui dort. Celui-ci s'endort facilement : il est en paix. Comme son principal besoin est d'être heureux, quand il se couche il ne se met pas à calculer comment il devra agir le lendemain pour obtenir la promotion qu'il espère, pas plus qu'il ne ressasse les événements de la journée en s'accrochant les pieds au passage. Son attention n'est pas happée par toutes sortes de problèmes à régler.

En somme, ses pensées ne tournent pas en rond dans sa tête puisque pour lui, aujourd'hui est passé et demain n'est pas encore. Tout ce qu'il doit faire au présent, c'est dormir.

Quand nous ne sommes plus un enfant, et si nous tardons parfois à nous endormir, cela peut être à cause de ce qui se déroule dans notre tête. En effet, lorsque nous pensons, notre cerveau est actif. Comme l'activité de notre cerveau est d'origine électrique, cette activité provoque des enchaînements d'idées. Nos pensées s'activent alors dans notre cerveau comme une boule dans un jeu de pinball. À l'instar de la boule qui heurte un obstacle pour se rediriger ailleurs, nos pensées rebondissent et en provoquent sans cesse d'autres.

Ces chassés-croisés dans notre cerveau étant un phénomène purement électrique, ils sont sans fin si nous ne tombons pas de fatigue, ou si nous ne décidons pas volontairement d'y mettre un terme. Ne plus céder à ces enchaînements d'idées robotiques nous permet d'en couper le fil... avec quelques connaissances et beaucoup d'entraînement.

Au début, cesser de penser sur commande n'a rien d'évident, les enchaînements se faisant à la vitesse de l'éclair. Par contre, réaliser qu'il s'agit d'un phénomène électrique permet d'apprendre à le maîtriser graduellement. Cette maîtrise permet ensuite de ne plus être inconsciemment sous sa domination ; ce qui, en soi, constitue une libération. En effet, il est facile, la nuit, de laisser les problèmes prendre d'énormes proportions, ce qui est le plus sûr moyen de vivre l'angoisse et d'éprouver de la difficulté à s'endormir.

La nuit, céder au cercle vicieux de nos pensées a comme résultat de nous enfermer dans ce cercle. Nous ne réalisons peut-être pas qu'il est possible d'en sortir sur commande. Pour apprendre à déjouer ce phénomène, constatons d'abord que nos pensées sont bien souvent comme un cheval sans brides. Il suffit de reprendre les brides pour maîtriser notre monture.

Pour vaincre le phénomène électrique de la pensée, ou à tout le moins pour le dompter, il est essentiel de le connaître. Si nous ignorons son existence, impossible d'étudier son mécanisme. Les conditions *sine qua non* pour dominer tout phénomène inconscient sont d'abord de connaître son existence, puis de le comprendre. Si nous ne connaissons pas un phénomène, nous ne pouvons pas le maîtriser.

Il peut être très difficile de cesser de penser sur commande puisqu'en début d'apprentissage, notre attention tend naturellement à se porter sur nos efforts pour arrêter. Cependant, quand nous possédons les connaissances voulues, nous pouvons y aller par étapes et ainsi suivre le déroulement logique de toute transformation.

Remplacer nos pensées négatives par des pensées positives représente une étape clé qui nous permet d'y aller graduellement et d'éviter d'avoir à tenter de couper le flot de nos pensées du jour au lendemain; non seulement les risques de découragement sont-ils diminués, mais ces efforts quotidiens rééduquent doucement notre cerveau.

Revenons au sommeil et au phénomène électrique de la pensée en nous penchant sur l'exemple qui suit. Compter les moutons peut avoir un effet stimulant sur le cerveau puisque nous portons notre attention sur un point fixe qui est le nombre de moutons. Comme le fait d'être attentif stimule le cerveau, le sommeil peut être retardé. Par contre, imaginer le paysage où se trouvent les moutons peut avoir un effet plus relaxant, l'attention étant alors plus diffuse. Petit à petit nos pensées peuvent s'espacer et c'est ce qui fait que l'attention se relâche, ce qui favorise le sommeil.

L'attention fonctionne exactement comme le zoom d'une caméra. Juste avant de basculer dans le sommeil, nous ne portons plus attention à quoi que ce soit et nous sommes hors focus. Le fait de se relâcher totalement est ce qui permet de nous endormir. Sur le plan physique, cela équivaut à laisser aller un poids.

Quand nous cherchons à nous endormir, substituer des pensées positives à nos pensées négatives favorise le lâcher prise. Il faut savoir que pour le cerveau, rien n'est plus stimulant que le négatif. Si le positif est relié à l'amour, le négatif, lui, est relié à la peur. Or, la peur implique la résistance et donc, le refus de céder au sommeil. À l'autre extrême, l'amour est apaisant car il implique la relaxation et la décontraction.

Avoir de la difficulté à s'endormir peut aussi indiquer que nous supportons mal le silence. En effet, réduire volontairement le flot de nos pensées crée nécessairement un vide, que chacun vit plus ou moins bien. Le fait de mal vivre ce silence pousse certains à vouloir le remplir avec leurs pensées, ce qui nuit au sommeil puisque leur cerveau est alors réactivé. Cela les rassure néanmoins sur leur propre existence. À cet égard, « Je pense, donc je suis » les sécurise étant donné que pour eux, arrêter de penser serait l'égal de cesser d'exister.

Cette crainte du silence s'explique par la peur instinctive qu'a l'être humain du vide. Nous avons tous, un jour ou l'autre, ressenti un certain malaise en regardant en bas, penchés au-dessus d'un quinzième étage. Une autre peur non négligeable et connexe est celle de l'inconnu : que se produira-t-il si nous pensons moins ?

Apprendre à maîtriser et limiter nos pensées ne se fait pas que la nuit. Au contraire, quiconque souhaite pousser l'expérience peut s'y mettre à plein temps. Voyons à ce propos ce qui se produit quand des pensées négatives nous assaillent durant le jour.

En ressassant le négatif, nous tournons en rond et sommes dominé par l'activité électrique du cerveau. Quand nous pensons sans discernement, nous agissons et réagissons selon nos automatismes. Dans ce cas, nous ne choisissons pas les pensées qui nous conviennent ; nous les laissons s'enchaîner dans notre tête comme bon leur semble. Notre conception de la vie reflète inévitablement ce désordre intérieur.

À ce sujet, quelqu'un qui se laisse aller à des pensées négatives se fait, à son insu, complice d'un phénomène physique qui n'a rien d'avantageux pour lui. Voici pourquoi : le négatif est lié à la densité de la matière et donc à la gravité, à la lourdeur de l'inconscience, au poids de la peur. C'est ce qui explique que le négatif nous tire vers le bas, contrairement au positif qui nous entraîne vers le haut.

Précisons ici que le négatif n'a aucune existence comme telle puisque par définition, il est « absence de ». Absence de positif, absence d'affirmation, de contenu, de conscience, de lumière. C'est pourquoi il est angoissant. Il représente le vide, le néant, l'irréel ; c'est une coquille vide.

Dominer nos pensées en résistant à leur enchaînement robotique est la clé de la maîtrise de nos états d'esprit. Si nous nous laissons aller à un enchaînement négatif, il suffit de l'interrompre et d'y insérer du positif. Voici comment il est possible d'y parvenir.

Prenons l'exemple du temps qui, lui aussi, est le résultat d'enchaînements. Une journée est formée de 24 heures. À son tour, une heure est constituée de 60 minutes ; ces 60 minutes sont, pour leur part, formées de 3 600 secondes. Même si, mises bout à bout, elles représentent une heure, chacune de ces secondes reste néanmoins unique.

Il en va de même pour nos pensées. Nos états d'esprit sont formés de l'ensemble de nos pensées, mais chacune d'entre elles est néanmoins unique, comme chacune des 3 600 secondes d'une heure l'est. Tout comme nous pouvons avoir conscience d'une seule seconde, nous pouvons avoir conscience d'une seule pensée dans un enchaînement. Prenons-en une et soumettons-là au test suivant : est-elle positive ou négative ?

Poussons plus loin la réflexion et abordons maintenant le sujet des associations d'idées. Quand nos pensées se succèdent de façon ininterrompue, elles se déroulent selon des associations d'idées. Devant le mot *samedi*, par exemple, plusieurs vont penser *fin de semaine*, puis, *congé*. Prenons le mot *lune* et une association logique pourrait fort bien être *nuit*.

Si certaines associations d'idées sont partagées par une multitude d'êtres humains, il reste que chaque individu possède les siennes, qui lui sont personnelles. Si nous avons déjà été très malade en mangeant des tomates, les chances sont fortes que si nous entendons le mot *tomate*, nous penserons d'emblée *malade*, car c'est cette association qui se sera incrustée dans notre mémoire. Ces deux mots sont donc indissociablement liés en nous.

Nous ne sommes pas toujours conscient des associations qui habitent notre cerveau en ce sens que toutes les expériences que nous avons vécues sont stockées dans notre mémoire, que nous nous en souvenions ou pas. C'est ainsi que la mémoire nous permet de nous acquitter de mille et une tâches sans avoir à réapprendre comment, par exemple, conduire un véhicule. Quand nous voyons un feu rouge, nous savons qu'il faut nous arrêter parce que *feu rouge* est lié, dans notre tête, à *arrêt*. C'est ainsi que fort heureusement, nos associations d'idées nous permettent de vivre le quotidien en n'ayant pas à tout réapprendre à tout moment.

Voilà, en peu de mots, en quoi consistent les associations. Elles sont le produit de ce que nous connaissons et en même temps de ce que nous tenons pour acquis. Pour ces deux raisons, elles peuvent toutefois nous jouer des tours si nous cédons trop facilement à leur automatisme. En effet, si nous les laissons s'interposer entre nous et la réalité sans discernement, elles peuvent devenir des intermédiaires qui n'ont pas leur place quand elles encouragent le jugement.

Quand nous jugeons, nous comparons ce qui se trouve devant nous avec ce que nous connaissons. Or, comment voir le présent pour ce qu'il est réellement si nous comparons avec le passé et si le seul but de cet exercice est de juger? Tenir pour acquis que les jeunes Noirs des ghettos américains sont tous des délinquants, par exemple, nous empêche de réaliser que ce n'est pas le cas. Même si c'était vrai, et si nous rencontrions un de ces jeunes, le condamner d'avance par notre jugement serait un automatisme qui nous empêcherait de le connaître réellement. Voilà en quoi nos associations peuvent être néfastes : elles nous empêchent de porter un regard neuf et objectif sur la vie en proposant une idée déjà toute faite.

Prenons le cas d'un homme qui en voudrait à sa voisine pour une raison quelconque. Chaque fois qu'il pense à elle, il revoit l'incident qui a gâté leur relation ; cette association est un automatisme. Pensons à un robot, qui se conforme aveuglément à sa programmation : quand on dit *A* il répond *B*. L'individu qui en veut à sa voisine se comporte comme un robot. Contrairement à celui-ci toutefois, il peut modifier ses automatismes car il est capable de les remettre en question. S'il voyait sa voisine dans le présent plutôt que de la juger selon ce que sa mémoire lui rappelle, il se permettrait de repartir à neuf dans cette relation – ou à tout le moins de cesser de lui en vouloir.

Choisir d'être heureux exige de revoir notre programmation et de nous pencher non seulement sur nos associations d'idées mais aussi sur notre système de pensées ; les deux sont inséparables.

Quand il est mené sérieusement, ce travail de rééducation nous engage tout entier, car lorsqu'il est question de l'activité électrique du cerveau il est aussi question de réflexes. Ceux-ci demandent une attention particulière puisqu'ils représentent nos automatismes ; ils peuvent donc nous échapper.

Si nous ne sommes pas conscient de nos associations négatives nous ne pourrons ni les examiner objectivement, ni parvenir à les transformer. Le véritable changement intérieur se
fait par l'identification du négatif en nous, et par notre volonté
de nous en défaire. Pensons au mécanicien qui retire la cour-
roie usée d'un moteur pour en installer une neuve. Faisons de
même avec une pensée qui n'est pas constructive : retirons-la et
remplaçons-la par du positif.

Toutes nos associations d'idées sont gravées dans notre
cerveau et forment l'équivalent de circuits électriques. Puisque
tout part de ces circuits, c'est là que doit s'effectuer la véritable
transformation. Chez les gens positifs, leurs associations
d'idées sont à leur image. À l'inverse, quelqu'un de négatif fait
des associations négatives. Voilà notamment ce qui explique
que ces deux catégories de gens ne voient pas du tout la vie de
la même façon.

Tenter de changer les circonstances ou les gens ne rime
strictement à rien, cela n'ayant aucune incidence sur notre programmation. Nous aurons beau nous mettre en colère contre
l'extérieur, cette colère ne transformera jamais l'association
d'idées qui se trouve, elle, bien inscrite dans notre cerveau.

Une fois notre système d'associations d'idées passé au pei-
gne fin et notre cerveau rééduqué, nous posséderons la maîtrise nécessaire pour déclencher n'importe quel enchaînement
positif. Il suffira de choisir une belle pensée pour que s'enchaîne
une série d'associations positives.

QUATRIÈME PARTIE

LA DISCIPLINE

Être victime ou jouer à la victime

Lâcher prise et être heureux

La paix est en nous

Être victime ou jouer à la victime

Jean n'a qu'un frère, qui ne lui parle pas depuis cinq ans à cause d'un incident malheureux mais somme toute sans grande importance.

Le passé est le passé, Jean le sait bien. C'est pourquoi il n'entretient ni rancœur ni regret.

À chaque Noël il envoie une carte à son frère, en se disant qu'un jour peut-être il répondra. Entre-temps, il espère qu'il va bien. Il se dit qu'il a sûrement ses raisons de ne pas le contacter.

Il respecte la décision de son frère, et ne lui en veut pas.

Le passé est le passé, entendons-nous souvent dire. Pour Jean, certains événements du passé ne sont pas excusables ; c'est pourquoi il ne tient pas à faire la paix. Il préfère en vouloir aux gens ou déplorer certaines circonstances, pour ne pas oublier le tort qu'on lui a fait.

Jean se dit qu'il ne va sûrement pas faire les premiers pas, que c'est à son frère de s'excuser. Comme cela fait cinq ans qu'il attend des excuses qui ne viennent pas, il lui en veut de plus en plus. Il se répète que de toute façon il n'attend après personne pour être heureux, et il n'a pas de temps à perdre avec les gens qui s'offusquent.

Certains individus traînent comme
un boulet, durant leur vie,
certaines circonstances de leur passé.
C'est ainsi que le rôle de la victime s'accroche à eux,
car ils se perçoivent comme tels.

L'ego est le champion du blâme. Or, que faisons-nous quand nous blâmons quelqu'un ? Nous régressons à l'âge de cinq ans, quand nous pleurions parce que nous avions moins de crayons de couleur que notre petit voisin à l'école. En pleurant, nous jouions sans le savoir le rôle de la victime des circonstances et nous voulions ainsi que justice soit faite.

Comme nous étions un enfant, nous pouvions très facilement jouer à la victime, nous n'étions pas encore en mesure de faire autrement. Nos yeux nous montraient que le petit voisin avait plus de crayons que nous, ce qui nous semblait injuste. Où en sommes-nous rendu maintenant ? Nous limitons-nous toujours à ce que nous montrent nos yeux ?

Étant donné que le réflexe du blâme est directement lié à la vision unidirectionnelle, ceci débouche de façon toute naturelle sur l'arme par excellence de quiconque réagit encore comme à cinq ans : le jeu de la *victime*.

Avant d'aller plus loin dans nos explications, précisons ce qui suit. Si *jouer* à la victime est un choix, *être* une victime n'en est pas un. Par ailleurs, entre *jouer* et *être*, la différence est aussi grande qu'entre le jour et la nuit.

Un individu qui se fait voler un bijou et qui dépose une réclamation à sa compagnie d'assurances ne *joue* pas à la victime, il *est* victime d'un vol. Par contre, s'il blâme les circonstances en pleurant sur lui-même, non seulement est-il une victime mais il joue aussi à la victime.

Une personne à qui on a volé un bijou réagit à cette perte en étant triste ou catastrophée. De son côté, une personne qui joue à la victime ne fait pas que pleurer son bijou, elle pleure aussi sur son sort. La réaction des deux individus peut être similaire mais leur attitude est tout à fait différente.

Pleurer sur soi pendant une heure ou une journée n'est pas interdit. Par contre, ne pas en revenir est symptomatique de quelqu'un qui se complaît à jouer à la victime. Qui est susceptible de se plaire dans ce rôle? Quiconque se voit comme étant l'objet d'une injustice et qui souhaite, en plus, être plaint. Ce qui peut être tout à fait enfantin si cette attitude se prolonge de façon indue: *Tu m'as gâché ma journée, tu n'as pas le droit de me faire sentir mal et je vais le dire à papa.*

Certains individus traînent comme un boulet, durant leur vie, certaines circonstances de leur passé. C'est ainsi que le rôle de la victime s'accroche à eux, car ils se perçoivent comme tels. Puisqu'ils se sont convaincus qu'ils en sont une, bien malin qui pourrait leur faire croire le contraire, d'autant plus que pour ces gens, se faire plaindre est sans doute beaucoup plus agréable que de prendre leur vie en main.

Précisons que les cas de réelle injustice courent les rues. En effet, il y aura toujours un humain pour vouloir en écraser un autre, tout comme certaines circonstances peuvent être injustes. Cependant, ceux qui subissent une injustice ne jouent pas nécessairement tous à la victime. En fait, ceux qui s'en sortent sont ceux qui passent à autre chose et qui ne pleurent pas éternellement sur leur sort.

Ceux qui vont plus loin sont ceux qui deviennent plus justes eux-mêmes, car ils ont vécu l'injustice et ne veulent pas la faire subir à d'autres. Ce faisant, ils transforment le négatif en positif de la façon la plus constructive qui soit.

Personne ne détient le pouvoir de gâcher notre vie – ou notre journée – que nous-même, pas plus que personne n'a le pouvoir de nous faire sentir mal. Se plaindre éternellement ne donne rien, il faudrait s'avouer que ce qui est fait est fait.

Ne plus jouer à la victime n'est possible que si nous réalisons que l'un des pouvoirs les plus grandioses que nous ayons, est celui de changer notre vie en la voyant différemment.

Le jour où nous saurons utiliser ce pouvoir consciemment, nous nous libérerons de nos limites et pourrons viser plus haut. Ne nous méprenons pas : chaque fois que nous nous plaignons que quelque chose ou quelqu'un nous empêche d'être heureux, nous jouons nous aussi à la victime. Quand nous déciderons de ne plus jouer ce rôle, alors nous serons en mesure de prendre la plus belle et la plus grande résolution qui soit, celle d'être heureux.

À partir de ce moment, nos pensées, nos paroles et nos actions seront libres d'être transformées car en acceptant d'être heureux, nous accepterons aussi de ne plus dépenser un gramme d'énergie à nous convaincre que nous sommes une victime. Ce ne sera plus nécessaire puisque nous aurons cessé de nous diminuer et de chercher des excuses pour ne pas être heureux. Le mot « victime » ne fera donc plus partie de la définition de nous-même.

En réalisant que nous sommes entièrement libre de choisir les pensées qui nous plaisent, nous possédons la plus précieuse des certitudes ; en voici la raison. Demandez aux gens ce qu'est la liberté. Plusieurs répondront que c'est pouvoir faire ce qu'ils veulent, où et quand ils le désirent. Notre vie correspond-elle véritablement à cette définition ? Nous ne pouvons prévoir tout ce qui nous arrive, pas plus que nous pouvons planifier notre existence dans ses moindres détails ; croire le contraire serait tout à fait illusoire.

Être véritablement libre, c'est posséder la certitude que peu importe ce qui arrive, le bonheur ne pourra jamais nous quitter. Comment cela se fait-il ? Simplement parce qu'il est *impossible* pour lui de nous quitter ; ce n'est pas une personne ! C'est nous qui l'abandonnons en préférant nous attacher aux circonstances et y réagir d'une façon qui nous nuit.

Les gens heureux savent qu'ils détiennent la clé du bonheur, et c'est de là que leur vient leur sérénité. De plus, ils sont limpides comme de l'eau claire car ils font confiance à la vie. C'est aussi cela, le bonheur : la confiance inébranlable.

La profonde liberté qui émane de certaines personnes s'explique par le fait que peu importe les circonstances, elles n'abandonneront jamais le bonheur. À l'opposé, l'incertitude partagée par tous ceux qui cherchent le bonheur ailleurs qu'en eux-mêmes, c'est qu'à tout moment il peut leur échapper. Cette possibilité peut sembler si angoissante, que certains individus tentent de contrôler leur environnement, y compris les gens qui en font partie, en croyant ainsi que le bonheur ne les quittera pas.

Choisir réellement le bonheur, c'est accepter d'endosser la responsabilité de se comporter en conséquence. Quelqu'un qui aurait choisi d'être heureux et qui continuerait à entretenir des pensées négatives, s'accrocherait encore à ses vieux réflexes. Choisir, c'est choisir. Quand la lune se lève, elle se lève. Elle ne se recouche pas une heure plus tard, pas plus qu'elle ne change d'idée à mi-chemin. S'associer à la réalité de cet astre, c'est faire preuve de constance nous aussi.

Quand nous décidons d'être heureux nous nous engageons à accepter les pensées qui correspondent à cet état d'esprit et à rejeter celles qui n'y correspondent pas. Quoi de plus simple et quelle réussite pourrait être plus assurée, aucun changement extérieur n'étant nécessaire.

Lâcher prise et être heureux

Jean veut se remettre en forme après des années de laisser-aller. Il songe à s'inscrire dans un centre de conditionnement physique.

CE QUI ÉTAIT N'EST PLUS, ET CE QUI SERA N'EST PAS ENCORE. QUE RESTE-T-IL ? LE PRÉSENT. Jean réalise parfaitement que ces deux phrases représentent la réalité. Ainsi, quand un défi se présente, il sait qu'à chaque jour suffit sa peine et que c'est en pensant de cette façon qu'il se rendra au bout de son engagement. Se remettre en forme ne représente pas une montagne pour lui, il réalise que chaque effort quotidien le rapprochera de son but. Il décide de s'inscrire le jour même dans un centre de conditionnement physique.

CE QUI ÉTAIT N'EST PLUS, ET CE QUI SERA N'EST PAS ENCORE. QUE RESTE-T-IL ? LE PRÉSENT. Jean est songeur quand il lit ces deux phrases. On lui a dit que s'il en comprenait vraiment le sens, ça l'encouragerait à se remettre en forme. Il ne voit pas le lien. En fait, ce qu'il comprend, c'est qu'il n'est pas certain de vouloir prendre l'engagement de s'entraîner. Déjà il était en forme, mais ce défi lui semble trop difficile à relever et c'est pourquoi il décide de remettre ce projet à plus tard.

Quand il est question du passé,
ne pas lâcher prise
entretient le blâme et l'inimitié, notamment.
Le danger est de devenir prisonnier
de sa décision
de transporter le passé dans le présent.

En démontant les mécanismes finement réglés de notre psychologie, il est possible d'analyser et de comprendre nos façons d'agir et de réagir. Tout en nous étant interdépendant, nous pouvons, en creusant un peu et en faisant des liens, identifier ce qui explique un comportement ou trouver l'origine d'une attitude. Prenons comme exemple ce qui suit.

Quand nous voulons absolument prouver que nous avons raison, que faisons-nous ? Nous ne lâchons pas prise, jusqu'à ce que nous ne tenions plus à prouver que nous avons raison et que s'obstiner n'est plus nécessaire.

Lâcher prise, c'est cesser de tirer et de forcer. Mentalement, c'est l'équivalent de laisser aller un câble auquel serait attaché, tout au bout, un camion poids lourd. À l'opposé, ne pas lâcher prise, c'est avoir comme objectif de déplacer le poids lourd.

Quand des opinions s'affrontent, et si notre seul but est de gagner ou de satisfaire un besoin de l'ego, alors plus notre désir de convaincre sera fort et plus nous nous entêterons. Quand nous voulons gagner pour gagner, l'objectivité devient forcément subjectivité. Ce qui, de prime abord, pouvait se présenter comme un simple échange de points de vue, peut rapidement se transformer en une lutte à finir.

Lorsque nous sentons que nous sommes à bout, c'est que nous n'avons pas lâché prise, dans quelque domaine que ce soit. Quand, épuisé, nous cessons de tirer, alors nous réalisons que nous avions toujours le choix de le faire.

Quand il est question du passé, ne pas lâcher prise entretient le blâme et l'inimitié, notamment. Le danger est de devenir prisonnier de notre décision de transporter le passé dans le présent. Peut-être des événements désagréables se sont-ils effectivement produits, ou des injustices ont-elles vraiment été commises, mais le fait de les avoir vécus n'est-il pas suffisant en soi sans désirer, en plus, les revivre à tout moment par le truchement de la mémoire?

Nous avons déjà établi que quelqu'un qui est divisé à l'intérieur divise également les circonstances en *satisfaisantes* et *insatisfaisantes*. Un tel individu parvient aussi à diviser autre chose, soit le temps. Au lieu de vivre dans le présent et y régler ses problèmes s'il en a, la partie de lui qui ressasse le négatif, fait qu'il devient l'égal d'un pendule oscillant perpétuellement de gauche à droite puis de droite à gauche.

Une partie de lui vit dans le passé, tandis qu'une autre se trouve dans le présent. C'est cela la division du temps. Certains jours cet individu sera mentalement dans le passé, d'autres jours il se retrouvera dans le présent. C'est ainsi que le mouvement du pendule fera se perpétuer ce qu'il n'a pas aimé; pour lui c'est encore le présent puisqu'il l'entretient dans sa tête. Cette oscillation entre ces deux « temps » fait en sorte que les reproches sont entretenus.

À l'opposé, quelqu'un qui choisit d'être heureux passe au travers des circonstances comme il passe au travers du temps, c'est-à-dire sans s'accrocher les pieds, un jour à la fois. Les circonstances sont ce qu'elles sont, comme le présent est ce qu'il est. Nous ne pouvons rien changer au fait que ce qui était n'est plus, et ce qui sera n'est pas encore. Seul *maintenant* existe.

Ce n'est pas un hasard si certaines personnes ayant vécu un burn-out, une dépression ou une expérience éprouvante, sont susceptibles de vivre une profonde transformation intérieure par la suite. Pourquoi ? Parce qu'elles ont été suffisamment secouées dans leurs fondations pour accepter de lâcher prise. Ce faisant, elles se sont ouvertes mentalement à autre chose. Qu'avaient-elles à perdre, de toute façon ?

Un burn-out ou une dépression sont souvent le lot d'une personne qui est à bout. Pas parce qu'elle vit au passé, mais parce qu'un ou plusieurs éléments de son quotidien ont pris une importance démesurée dans sa vie. C'est ainsi qu'elle ne voit qu'eux et qu'ils deviennent lourds à porter.

Les responsabilités, l'insatisfaction, des problèmes non réglés... bien des éléments sont susceptibles de pousser quelqu'un à ne pas lâcher prise. Que se produit-il exactement en nous, quand nous ne nous relâchons pas mentalement ? Nous devenons tendu à force d'entretenir certaines pensées, ce qui est l'équivalent, physiquement, de forcer sans arrêt. Cette tension est tout aussi épuisante et à ce chapitre, nous avons tous nos limites. À nous de relâcher quand nous les avons atteintes, sinon nous en paierons assurément le prix d'une façon ou d'une autre.

Quand nous sommes épuisé, nous cédons plus facilement à nos automatismes. Il est alors très facile de tomber dans le cercle vicieux des pensées négatives. Dans le cas d'un burn-out ou d'une dépression, plus le cas est sévère et plus lâcher prise s'avère nécessaire. À ce sujet, les transformations profondes surviennent quand quelqu'un est tellement prisonnier de ses pensées que la seule façon de s'en sortir est de cesser de s'y cramponner.

Tant et aussi longtemps qu'être heureux n'est pas une priorité, nous nous offrons le luxe de refuser de modifier ce qui, en nous, résiste au bonheur. C'est pourquoi les véritables changements surviennent seulement quand nous en sommes au point où rien d'autre nous permettra de passer au travers. C'est alors que nous acceptons d'être transformé, et une fois cette étape franchie nous pouvons constater que l'ennemi du bonheur, l'ego, ne nous a jamais permis d'être heureux... mais il fallait d'abord cesser de l'écouter pour être en mesure de le réaliser.

Nous ne pouvons pas accepter d'être heureux tant et aussi longtemps que nous choisissons de combler les intermédiaires futiles que sont les besoins de l'ego. Or, quand nos fondations sont secouées et que notre vision même de la vie est remise en question, ces besoins paraissent soudain grotesques.

Quand nous ne sommes plus sûr de rien, alors notre acceptation du bonheur peut être inconditionnelle, car nous avons perdu nos certitudes. Voici d'ailleurs par où s'amorce le changement : par les remises en question. L'ego, de lui-même, ne tient pas à questionner ses certitudes puisqu'elles représentent sa sécurité ultime. Une fois qu'il a choisi ses pensées, ses opinions et ses idées, elles constituent *la* vérité. Pour lui, se questionner équivaut à admettre qu'il ne la possédait pas, cette vérité.

Nous savons que nos fondations sont vraiment ébranlées non seulement quand nous réalisons que les besoins de l'ego ne nous rendront jamais heureux – puisqu'ils n'ont pas réussi – mais aussi quand nous l'admettons. Si nous cherchons encore à combler ses besoins, c'est qu'il ne s'agissait pas vraiment d'un tremblement de terre. Le véritable séisme est celui qui ouvre une brèche dans notre système de pensées et dans notre conception de l'existence.

Puisque nous y sommes, attardons-nous un peu sur notre système de pensées. Notre faculté de raisonner et de faire des enchaînements d'idées, est possible grâce à la fermeture de ce système sur lui-même, telle une boucle. C'est là sa caractéristique fondamentale et c'est ce qui nous permet d'avoir des idées, des pensées et des opinions qui se ressemblent d'un jour à l'autre. Si cette boucle fermée sur elle-même n'existait pas, un jour nous aimerions les animaux et le lendemain, nous ne les aimerions plus. Un midi nous achèterions un livre et le soir venu, nous détesterions la lecture. En somme, il n'y aurait plus de continuité dans notre tête et dans nos agissements. Notre personnalité varierait du tout au tout d'une seconde à l'autre et ce phénomène serait carrément invivable.

Ce système de pensées, qui est propre à chacun, explique le fait que nous pensons tous de manière différente. Individuellement, nous pensons toujours plus ou moins de la même façon et c'est ce qui fait que nous sommes « nous » et pas le voisin. Pourtant, rien n'empêche que nous puissions intégrer du nouveau à notre système. Celui-ci n'étant pas figé, il évolue avec le temps.

Voici maintenant un paradoxe. Étant donné que notre système de pensées est fermé sur lui-même, et puisque tout ce que nous y intégrons doit *d'abord* recevoir notre approbation, comment faire nôtre ce qui, à priori, ne nous convient pas? Si, par exemple, nous ne croyons pas aux fantômes, cette croyance ne se faufilera jamais dans notre système, à moins bien sûr que nous ne changions d'opinion à ce sujet.

Nous parlons et nous agissons toujours selon ce que nous croyons, car c'est là *notre* vérité. Autrement dit, notre référence. En effet, puisque nous avons accepté dans notre tête une idée plutôt qu'une autre, c'est elle qui, pour nous, est vraie. Il serait impossible d'adopter une idée qui, à notre avis, serait fausse.

En ce qui a trait au bonheur, si nous ne croyons pas que nous puissions être heureux, impossible de nous déjouer nous-même en affirmant qu'il soit possible de l'être. C'est ainsi que nous ne pouvons intégrer dans notre système de pensées quoi que ce soit qui nous semble faux. Que faire, alors, si nous souhaitons croire que nous pouvons être heureux? Il faudra identifier pourquoi nous pensons qu'il est impossible de l'être. C'est un travail sur nos croyances et sur nous qu'il faut entreprendre. Quand nous aurons compris pourquoi nous n'y croyons pas, alors nous pourrons décider si cette croyance est valable ou pas.

Abordons un autre aspect du système de pensées, et prenons le cas d'un individu ayant un fort ego et qui a tendance à vouloir imposer ses idées aux gens. Par définition, cet individu déteste changer sa façon de penser. Puisque l'ego recherche notamment la sécurité et l'autosatisfaction, il voit comme une menace le fait de modifier ce qu'il pense, même s'il ne s'agit que d'une seule opinion. Comme il a lui-même accepté certaines idées, non seulement ne tient-il pas à les changer mais en plus, il ne désire aucunement les remettre en question. Ce serait admettre qu'il a mal choisi. L'ego ne voit pas du tout l'ouverture d'esprit comme un avantage puisque sa motivation et son besoin profond sont de convaincre, pas d'être convaincu.

Nous parlions plus tôt d'un paradoxe, celui voulant que nous ne pouvons accepter une idée qui ne nous convient pas. Nous abordions aussi le sujet de gens vivant une profonde transformation intérieure à la suite d'une expérience éprouvante comme une dépression, ce qui a souvent comme effet de secouer leur système de pensées ; cette fondation d'ordinaire si solide peut réellement être ébranlée. Voyons ce qu'il en est.

Tant qu'un individu n'a pas vécu une profonde remise en question, son système de pensées peut être plus hermétique qu'une huître. Quand c'est le cas, il est susceptible non seulement de défendre avec passion ce qu'il pense, mais parfois à n'importe quel prix. Pourquoi croyez-vous que les guerres existent ? Pour prouver à l'ennemi que c'est nous qui avons raison. Pourquoi les discussions enflammées ? Pour convaincre que c'est notre système de pensées qui est le meilleur. Pourquoi les « froids », les mésententes ? Parce que quelqu'un ne partage pas notre façon de penser. Curieusement, c'est toujours l'autre qui est en faute, pas nous.

Dans tous ces exemples, qu'est-ce qui est défendu avec tant d'âpreté ? *Un système de pensées*. Pourtant, celui-ci n'est constitué que de ce que nous avons choisi comme vérité personnelle. Or, comment deux personnes pourraient-elles avoir la même vérité puisque c'est un choix ? À partir de cette constatation, pourquoi vouloir défendre nos choix à tout prix, si tel est le cas, si ce n'est que parce que l'ego veut s'autosatisfaire ?

Revenons à notre paradoxe : comme notre système de pensées est fermé sur lui-même, et puisque tout ce que nous y intégrons doit d'abord recevoir notre approbation, comment faire nôtre une idée qui ne nous convient pas ? Si, par exemple, nous ne croyons pas que pour être heureux il faut d'abord accepter de l'être, comment pourrions-nous accepter de penser ainsi ?

C'est en réfléchissant sur nos croyances que nous pouvons y parvenir. Or, qui dit questionnement dit *ouverture d'esprit*. Celle-ci ne vient que quand nous cessons de vouloir défendre nos certitudes. Dans le cas de quelqu'un qui a une haute opinion de lui-même et qui croit avoir atteint le standard idéal, il est naturellement satisfait de son système de pensées, d'où la difficulté de modifier ses certitudes.

Plus notre satisfaction est grande, moins nous nous questionnons. Conséquemment, nous acceptons de moins en moins d'idées nouvelles. Notre système de pensées devient plus hermétique et, alors, la stagnation peut aisément s'installer.

Être ouvert d'esprit, c'est ne pas avoir de système de pensées à défendre à tout prix. Ne pas avoir de système de pensées à défendre, c'est ne pas avoir besoin d'avoir raison. Et ne pas avoir besoin d'avoir raison, c'est pouvoir lâcher prise aisément... face aux gens, face aux circonstances, face à la vie.

La paix est en nous

Jean se lève un samedi de printemps, de fort bonne humeur. Il prend le temps de préparer son déjeuner préféré, puis décide d'aller magasiner afin d'acheter un cadeau pour son frère, dont c'est l'anniversaire ce jour-là. Il arrive au centre commercial et constate qu'il y a un monde fou.

Pour Jean, demeurer en paix est non seulement possible mais essentiel. C'est pourquoi, avant de réagir trop rapidement à un événement négatif, il prend le temps de se calmer. Une fois fait, les solutions lui viennent plus facilement.

Jean constate, en arrivant au centre commercial, qu'il n'est pas le seul à avoir décidé de magasiner ce samedi-là. Il gare sa voiture loin du magasin. Il décide que la prochaine fois il n'attendra pas à la dernière minute pour acheter un cadeau. Puis il entre dans le magasin, confiant qu'il trouvera un cadeau qui plaira à son frère.

Jean est en désaccord total avec ceux qui disent que la paix ne peut nous quitter. La preuve? Il lui arrive très souvent de ne pas être en paix; la plupart du temps, c'est à cause des autres ou des circonstances. À ceux qui lui disent que c'est plutôt sa faute, il leur répond que c'est de la bouillie pour les chats. Pourquoi déciderait-il de ne pas être en paix?

Parti magasiner, Jean ne trouve pas de place pour stationner. Mécontent, il songe qu'il aurait dû demeurer chez lui où, au moins, il avait la paix. Il trouve finalement un endroit où garer sa voiture, mais loin du magasin où il comptait aller. Il sillonne les allées en pestant contre les gens qui magasinent le samedi. De plus en plus impatient, il prend la décision de ne pas acheter de cadeau. Il estime qu'il a perdu son temps à tourner en rond et retourne chez lui, mécontent.

La paix est toujours présente,
potentiellement, en nous.
Les individus ou les circonstances que
nous rendons responsables de troubler notre paix
sont les meilleurs indicateurs que nous
la cherchons au mauvais endroit.

La mesure par excellence du bonheur, c'est la paix que nous ressentons. Qu'est-ce que la paix ? C'est l'état d'unification totale, c'est-à-dire l'absence de toute division intérieure. Quand nous sommes unifié nous ne désirons rien de plus que de baigner dans cet état, que nous soyons au beau milieu d'une foule ou en train de cuisiner.

La paix est un produit du bonheur en même temps que le bonheur est un produit de la paix, l'un n'allant pas sans l'autre. Quand nous ne sommes plus heureux, ou plus en paix, c'est signe que nous avons quitté ces états en décidant de leur tourner le dos pour fixer nos yeux sur l'extérieur et nous laisser happer par les circonstances.

Comment demeurer en harmonie quand nous vivons une situation susceptible de mettre à l'épreuve notre patience, comme être immobilisé dans un bouchon de circulation ? La meilleure façon est de constater le retard, mais ne pas tourner le dos à la paix pour autant. Voilà le choix qui s'offre à nous. Si nous cédons à la tentation de devenir impatient, c'est à ce moment-là que nous renions la paix en préférant nous laisser influencer par les circonstances. C'est aussi à ce moment-là que nous donnons libre cours à l'enchaînement des pensées négatives.

Nous pouvons toujours choisir entre faire abstraction des événements ou réagir à ce qui ne nous convient pas. En réagissant de façon extrême, nous choisissons de régler nos humeurs sur ce qui se passe à l'extérieur. À cet égard, chacun décide à quoi lui servira sa vision. Au beau milieu de la circulation, nous servons-nous de nos yeux pour regarder la route, y voir le bouchon puis pester contre lui? Ou, au contraire, utilisons-nous nos yeux pour regarder l'extérieur, constater le bouchon mais demeurer en paix malgré tout?

Quand nous renions la paix en choisissant de réagir négativement aux circonstances, il va de soi que nous tenterons ensuite d'évacuer notre frustration en passant par la négative – la colère, l'impatience ou l'insulte, notamment.

Comme l'être humain a d'abord besoin d'être heureux, dès qu'il sent la frustration monter en lui il souhaite l'évacuer, cet état n'ayant rien d'agréable. Par conséquent, celui qui céderait à la colère en étant pris dans la circulation souhaiterait parallèlement se sentir mieux; c'est pourquoi il exprimerait bien vite son mécontentement. En se défoulant, il ferait baisser la tension qui le mine.

Pester contre la circulation, ou contre un autre automobiliste, permet à quiconque s'est mis en colère de se venger en attaquant ce qu'il a décidé de rendre coupable pour sa frustration. Ce qui nous amène à poser cette question: pourquoi quitter un état paisible pour devenir colérique, puis vouloir se débarrasser de cette colère pour se sentir mieux? Ne vaudrait-il pas mieux demeurer en paix?

Contrairement à celui qui cède à ses impulsions sans discernement, quelqu'un qui prend quelques secondes pour choisir consciemment entre la paix et la frustration fait en somme le choix entre le paradis et l'enfer. Devant ces deux options, qui choisirait l'enfer s'il était conscient de sa décision et des conséquences de celle-ci? Il nous est permis de conclure que quiconque fait ce choix n'est pas conscient. S'il l'était, opterait-il pour la colère, la frustration ou l'impatience en sachant que ces états n'entraînent rien d'agréable pour quiconque les vit?

Nous nous volons à nous-même la paix dès que nous cédons à un état dont elle est exclue. Ce faisant, nous trouvons plus important de répondre aux besoins de l'ego que de combler celui d'être heureux d'abord et avant tout.

Contrairement à une certaine croyance, demeurer en paix n'équivaut pas à ignorer les circonstances. En effet, cet état ne découle pas du déni d'une situation mais bien de sa constatation, puis du choix de demeurer en paix malgré tout. Un bouchon de circulation est-il plus agréable à supporter dans un état d'harmonie ou de frustration? Quelle vision choisissons-nous? Celle qui constate qu'il y a du retard, ou celle qui tempête contre les circonstances?

Peu importe où nous nous trouvons, la paix est toujours potentiellement présente en nous. À ce sujet, les individus ou les circonstances que nous rendons responsables de la troubler sont les meilleurs indicateurs que nous la cherchons au mauvais endroit.

Quand nous reconnaissons la paix en nous, nous récoltons aussi le bonheur qui l'accompagne. Nous devenons comme le soleil qui propage ses rayons, et à notre tour nous propageons ce qu'il y a de meilleur. Si nous prenions l'énergie dépensée quand nous sommes en colère et que nous la canalisions d'une façon constructive, nous comprendrions à quel point le bonheur est tributaire de la maîtrise de soi.

CINQUIÈME PARTIE

L'ESPOIR

Les gens heureux sont responsables

Le paradis sur terre

Un enseignement de grande valeur

Les gens heureux sont responsables

Jean n'a pas reçu d'invitation pour Noël. Lui qui a si souvent reçu, passera la journée et la soirée seul.

Jean sait bien que quand on est soi-même responsable de son bonheur, on ne dépend pas de l'extérieur ou des gens pour être bien avec soi-même. Si les circonstances ne lui semblent pas favorables, il n'est pas malheureux pour autant. Étant un homme qui ne se laisse pas facilement abattre, il possède la capacité de se prendre en main et d'apprécier chaque moment qui passe. C'est ainsi que Jean assume pleinement sa responsabilité d'être heureux.

Comme Jean sera seul à Noël, il décide d'en profiter pour aller au cinéma. Au retour il fera une grande marche, puis il se préparera un bon repas. Il a une belle pensée pour les gens qui se sentent vraiment seuls ou qui n'ont pas les moyens de s'offrir des petits plaisirs comme il le fait cette journée-là.

Jean ne sait pas ce que signifie être responsable de son bonheur. Selon lui, il est clair que ce sont les gens et les circonstances qui nous rendent malheureux. Ce n'est pas notre faute si nous nous sentons ainsi et nous ne pouvons rien y changer.

Comme il sera seul à Noël, Jean se sent délaissé. Il ne sait pas quoi faire, il est triste et offensé que personne n'ait pensé à lui. Il entrevoit déjà que la journée sera longue, qu'il se tournera les pouces pendant qu'ailleurs, les autres passeront une belle fête. La journée puis la soirée n'en finissent pas, et Jean, de plus en plus malheureux, se morfond.

Pourquoi ne pas accepter
la responsabilité de notre bonheur ?
Nous préférons parfois nous déresponsabiliser
et nous attendre à ce que
l'extérieur nous rende heureux.

La question du bonheur est étroitement liée à la capacité d'endosser nos responsabilités à cet égard. Savoir créer notre bonheur est une véritable bénédiction : nous avons la certitude que nous pouvons toujours être heureux car nous prenons les moyens pour l'être.

Parler de responsabilité revient au même que parler d'une tasse de café. Celle-ci, pour être pleine, doit l'être à 100 %. Dans le cas du bonheur, la responsabilité, pour être pleine, doit être endossée à 100 %. Cela veut dire penser, parler, agir comme quelqu'un qui a choisi d'être heureux.

Relisons à nouveau la condition du bonheur et demandons-nous jusqu'à quel point nous endossons la responsabilité qui y est rattachée :

Puisque le bonheur est un état d'esprit, nous ne pouvons être heureux que si nous acceptons de vivre cet état, peu importe ce qui arrive. Si nous acceptons cette condition, il va de soi que nous devons également être totalement responsable de notre attitude par la suite.

Pourquoi n'accepterions-nous pas la responsabilité de notre bonheur ? Peut-être est-ce parce que nous croyons qu'il est difficile d'être responsable ; c'est pourquoi nous préférons nous déresponsabiliser et nous attendre à ce que l'extérieur nous rende heureux.

Pourtant, cette responsabilité nous garantit le paradis sur terre. Le paradis, c'est non seulement savoir que nous pouvons être heureux malgré tout, mais c'est aussi savoir *comment* l'être à tout moment et en tout lieu. Quand nous savons cela, nous ne renions plus jamais notre choix d'être heureux.

Éviter la question de la responsabilité et continuer à pointer du doigt certaines circonstances ou certains individus expose clairement les raisons de notre malheur, c'est-à-dire qu'il nous est plus simple – et souvent plus agréable – de pointer du doigt que d'apprendre à nous responsabiliser.

Par ailleurs, ce n'est pas que nous-même que nous pénalisons quand nous attendons de l'extérieur qu'il nous rende heureux. Quand nous sommes malheureux, nous avons tendance à nous venger en attaquant l'élément extérieur qui ne comble pas nos attentes. Il faut bien que quelqu'un, ou quelque chose, porte l'odieux de notre état d'esprit négatif.

À ce sujet, comment découvrir à qui ou à quoi nous avons cédé notre responsabilité? Demandons-nous vers qui, ou vers quoi, nous aimons pointer du doigt, et voilà notre réponse. Notre conjoint, notre patron, le gouvernement, la vie? Nul besoin de chercher plus loin. L'identification faite, poursuivons nos recherches et demandons-nous pourquoi nous nous attendons à ce que cet élément extérieur nous rende heureux – et pourquoi nous nous accordons le droit de nous venger ou de lui en vouloir, si telle est notre attitude.

Rejeter notre responsabilité ne serait pas la fin du monde si nous en acceptions pleinement les conséquences. Le problème, c'est que nous avons souvent tendance à n'accepter que les conséquences positives. Si elles sont négatives, alors ça ne va pas du tout, et nous tempêtons contre elles.

Par exemple, si nous rendons notre conjoint responsable de notre bonheur et que la vie ensemble est agréable, cette situation nous convient. Par contre, si la vie en commun est désagréable, n'est-il pas facile de lui en vouloir à certains égards? Si nous refusons de voir nous-même à notre bonheur, les chances seront très fortes pour que nous n'acceptions pas les conséquences de ce refus. Examinons ce qui suit. Si nous donnons la responsabilité à quelqu'un d'aller déposer un chèque de dix mille dollars à notre place, sommes-nous prêt à en accepter toutes les conséquences, l'une d'entre elles étant que cette personne puisse égarer le chèque?

Puisque c'était à nous de faire ce dépôt, il nous faut accepter toute conséquence pouvant découler de notre décision de déléguer. Si la personne égare le chèque et que nous reconnaissons que c'était à nous de le déposer, nous reconnaîtrons que nous prenions certains risques en le lui confiant. Par contre, si nous ne reconnaissons pas qu'il nous incombait de le déposer, nous en voudrons à la personne si elle l'égare.

Être pleinement responsable ne veut pas dire que nous devions tout régler tout seul. Nous ne sommes pas Superman. C'est reconnaître, par contre, que nous sommes responsable d'avoir cédé notre responsabilité à quelqu'un d'autre si tel est le cas. Cela veut également dire accepter les conséquences de cette décision, quelles qu'elles soient.

Quand nous nous attendons à ce que quelqu'un nous rende heureux, nous lui en voulons si nous ne le sommes pas et par conséquent, nous portons des accusations. Pourtant, toute attaque envers quiconque est injuste et injustifiable.

Avoir des attentes vis-à-vis d'une autre personne et ne pas récolter le résultat escompté équivaut à une déception assurée. Mais voilà : rendre quelqu'un coupable nous empêche de prendre conscience de ces attentes en nous. Si nous ne le réalisons pas, comment les identifier et surtout, comment comprendre pourquoi nous en avons? D'autre part, nous n'aurions pas d'attentes envers l'extérieur si nous ne lui confions pas la responsabilité de nous rendre heureux.

En somme, moins nous nous responsabilisons, plus nous avons d'attentes. À l'opposé, plus nous nous responsabilisons, moins nous avons d'attentes. Ce processus s'applique dans tous les domaines de notre vie, pas seulement en ce qui concerne le bonheur.

Mais revenons-en au bonheur et à la façon d'y accéder. Pour y parvenir il faut d'abord réussir à identifier cet état d'esprit en soi pour apprendre ensuite comment le retrouver, sans intermédiaire. Rappelons-nous : il ne nous délaisse jamais, c'est nous qui le délaissons en décidant de nous détourner de lui. Nous lui avons tous, un jour, tourné le dos pour la première fois. Ce jour-là, plutôt que de nous adapter aux circonstances et de continuer à rire malgré tout, nous avons décidé d'y résister et un malaise intérieur est apparu. C'est à ce moment que nous avons appris à subordonner nos humeurs aux circonstances. Nous avons commencé à diviser celles-ci en *satisfaisantes* ou *insatisfaisantes*.

Cette division des circonstances en deux catégories a, du même coup, créé une division en nous. Une partie de nous s'est mise à souhaiter une chose, l'autre partie une autre. Un exemple? L'enfant qui veut lire mais qui ne veut pas faire les efforts requis pour apprendre, est divisé. Il trouve satisfaisante l'idée de lire, mais insatisfaisante l'obligation de faire des efforts. Le même phénomène se produit quand nous n'acceptons que partiellement la condition du bonheur. Une partie de nous trouve attirante l'idée d'être heureux, mais l'autre trouve désagréable la condition de devoir changer notre attitude.

Quand acceptation et refus se côtoient de la sorte, deux camps opposés s'affrontent en nous. Comment réconcilier les deux parties? Ou bien nous acceptons totalement d'être heureux, ou bien nous refusons totalement de l'être. C'est ainsi que nous mettons fin à la division intérieure.

Prenons l'exemple de quelqu'un qui n'aime pas son emploi mais qui le conserve pour le salaire qu'il lui rapporte. Cette situation n'est ni bonne ni mauvaise en soi, mais cette personne est néanmoins divisée. Elle n'aime pas ce qu'elle fait mais elle le fait quand même, pour toucher son salaire. En somme, une voix clame : *Je veux quitter cet emploi car je ne l'aime pas* et l'autre voix enchaîne : *... mais je dois le conserver, car le salaire me convient.*

À l'inverse, quelqu'un qui n'est pas divisé n'a qu'une voix qui se fait entendre en lui ; il ne vit pas l'indécision. Voici ce que dit cette voix : *J'aime mon emploi et j'y reste.* Ou encore : *Je n'aime pas mon emploi et je le quitte.* C'est l'un ou l'autre, mais pas les deux.

Le but de ces exemples n'est pas de porter un jugement de valeur ; nous vivons tous des situations différentes. Le but est d'illustrer le phénomène de la division intérieure. En ce qui a trait au bonheur, quelqu'un qui n'accepte pas d'être heureux quoi qu'il arrive laisse place à la division en lui. Il s'expose alors à entendre aussi bien *Oui* que *Non*, car il n'a pas tranché entre les deux. Un autre individu qui accepterait d'être heureux, ne connaîtrait aucune division, car dès le départ il trancherait et opterait sans équivoque pour le *Oui*.

Plus nous sommes indécis, plus les deux options s'affrontent en nous. Tant que nous ne choisissons pas l'une des deux réponses clairement, cette opposition se perpétuera. Seule l'acceptation inconditionnelle évite l'affrontement. Cette acceptation reflète l'absence de toute division au moment de la décision.

Malgré les doutes, les craintes ou les indécisions, l'espoir n'est cependant jamais perdu. Autant nous avons appris à être malheureux, autant nous pouvons réapprendre à être heureux. Nous savons comment l'être puisque nous l'étions déjà avant de commencer à résister aux circonstances et à les catégoriser.

Posons-nous ces questions : *Sommes-nous notre meilleur ami ? Quelle attitude entretenons-nous quand nous sommes seul avec nous-même ? Savons-nous ce que nous voulons ?* Tout commence par soi, mais attention. Pas le « soi » empreint d'égoïsme que l'ego défend en attaquant l'extérieur ou en voulant s'imposer, mais bien celui plein de compassion qui s'ouvre à autrui et qui ne sait offrir que ce qu'il a de meilleur.

Si nous voulons être bien avec les autres, nous devons d'abord être en contact étroit avec ce que nous avons de meilleur en nous. C'est ainsi que le bonheur jaillit à l'intérieur avant de se répandre naturellement vers l'extérieur, tout comme la lumière jaillit de l'ampoule. L'extérieur n'éclaire pas l'ampoule, c'est elle qui éclaire l'extérieur.

Un mot, avant de terminer ce chapitre, sur une opinion partagée par plusieurs. Nombreux sont ceux qui croient qu'être heureux, c'est avoir tout ce que nous désirons. Si c'était le cas, le bonheur serait proportionnel à ce que nous avons. Or, ce n'est pas de cela dont il est question. Être heureux est un état qui se vit en trois étapes. Premièrement, c'est vivre l'harmonie à l'intérieur. Deuxièmement, c'est répandre cette harmonie autour de soi. Troisièmement, c'est récolter les fruits de l'harmonie que nous semons. C'est ainsi que ces trois aspects du bonheur sont uniques, mais ils sont aussi complémentaires, l'un n'allant pas sans les deux autres.

Lorsque nous vivons l'harmonie, rien ne saurait y ajouter quoi que ce soit puisqu'elle est totale. C'est d'ailleurs ce qui fait de nous des individus complets quand nous vivons cet état. Est-il nécessaire d'ajouter que ce qui est complet ne peut l'être davantage?

Vivre le bonheur fait penser au soleil qui brille de lui-même, sans avoir besoin de source extérieure; c'est lui la source. Ce n'est pas ce qu'il réchauffe et éclaire de ses rayons qui lui donne sa chaleur et sa lumière: il les génère lui-même.

Quand nous confions à l'extérieur la responsabilité de nous rendre heureux, nous ne faisons plus usage de notre capacité de briller comme le soleil. C'est ce qui explique que, petit à petit, nous en venons à croire que la source de bonheur se trouve à l'extérieur, et c'est à cet endroit que nous allons à sa recherche. Quand nous aurons réalisé que la source se trouve en nous et que nous pouvons grâce à elle générer toute la chaleur et la lumière nécessaires pour être heureux et rendre la vie plus belle pour tous, nous aurons retrouvé la joie et l'innocence qui étaient les nôtres quand nous étions petits.

Le paradis sur terre

Le patron de Jean envoie aux employés un mémo qui n'a rien de positif. Il souligne des erreurs qui ont été commises peu de temps auparavant, dont quelques-unes par Jean. Celui-ci, après avoir pris connaissance du mémo, croise son patron.

Jean a entendu dire que des pensées constructives font de nous notre meilleur ami. Cette perspective l'a séduit et il a décidé de changer sa façon de penser. Il a vite réalisé que la vie semblait moins lourde et beaucoup plus agréable. Il a décidé de ne plus résister aux circonstances qui ne lui plaisaient pas et s'est efforcé d'être positif. Il s'est rendu compte que non seulement ce changement d'attitude lui permettait de ne plus être dérangé par les circonstances, mais que celles-ci s'amélioraient.

En croisant son patron après avoir lu le mémo, Jean le salue et lui annonce qu'il en a pris bonne note. Il lui explique qu'à l'avenir il fera plus attention. Les deux hommes se quittent en se souhaitant une bonne journée.

Jean a entendu dire que des pensées constructives font de nous notre meilleur ami. D'un autre côté, voir la vie comme un combat fait de nous notre pire ennemi.

Jean ne voit pas la vie comme un combat : il ne fait que se défendre quand il se sent attaqué. Il est offusqué par le contenu du mémo rédigé par son patron et croit que celui-ci le visait. En le croisant au bureau, il prend un air pincé et le salue à peine. Son patron s'arrête pour lui parler. Jean est sur la défensive et se demande pour qui cet homme se prend, de relever ainsi les fautes des autres.

Nous sommes notre pire ennemi
quand nous acceptons des pensées
qui tendent vers le bas.
Quand nous optons
pour ce qui est constructif,
nous devenons notre plus grand allié

Depuis le début de ce livre nous avons abordé notamment le thème de l'ego et de ses besoins, ainsi que la question de la responsabilité personnelle face au bonheur. Approfondissons maintenant le lien qui existe entre l'ego et la responsabilisation. Ce lien est clair : plus l'ego est fort, plus le sens des responsabilités est faible en ce qui concerne le bonheur. Chez un tel individu, son ego a tellement de besoins à satisfaire qu'il a constamment les yeux tournés vers l'extérieur, s'employant à utiliser et à transformer la réalité à son avantage. Comment pourrait-il alors porter un regard objectif sur sa personne et réaliser que s'il décidait de changer, il comprendrait mieux ce que signifie « prendre ses responsabilités » ?

Pour arriver à se connaître, il nous faut apprendre à déjouer les mécanismes de notre ego en les identifiant d'abord. Tant que nous n'y verrons que du feu, impossible de les désamorcer. Une fois identifiés, nous serons en mesure de nous voir vraiment tel que nous sommes. C'est alors que pourra commencer la transformation authentique. C'est en faisant preuve d'humilité qu'une personne qui croit se connaître peut finalement se regarder sous toutes ses coutures et en toute honnêteté.

Ceux qui regardent vers l'extérieur à la moindre occasion pour déterminer leur état d'esprit ne connaissent en fait que leurs actions et leurs réactions robotiques, et non les mécanismes de leur ego. La preuve? Ce sont des êtres prévisibles qui ressemblent à des robots programmés. Pourtant, ils jureront que non... réaction qui est aussi hautement prévisible. Ils se fâcheront plutôt que de reconnaître qu'ils sont la marionnette de leur ego.

Retrouver le chemin de l'objectivité se fait en quittant la subjectivité de l'ego... ce qui nous permet de nous affranchir de sa mauvaise foi. Tant que nous ne tendons pas vers la connaissance de nous-même, notre vision de la réalité demeurera lourdement teintée par les diktats de nos besoins égoïstes.

Entreprendre le retour vers l'Éden, c'est choisir d'être heureux en cessant de participer à l'une des activités préférées de l'ego, soit celle de juger les gens et les circonstances, et de tout étiqueter. C'est à ces conditions que pourra disparaître la division intérieure qui a donné naissance à la possibilité d'être malheureux.

Nous pouvons retrouver l'harmonie en nous rappelant que toute parole et toute action découlent de nos pensées. En choisissant soigneusement ces dernières, nous devenons un être responsable à ce niveau.

Nous nous nuisons quand nous acceptons des pensées qui encouragent la petitesse. Quand nous préférons ce qui est constructif, nous soignons notre atmosphère intérieure et nous sommes bien dans notre peau. Identifier les travers d'autrui ne nous séduit plus.

Si nos pensées étaient diffusées par un haut-parleur, qu'est-ce que les gens entendraient ? Serions-nous fier de ce qui serait diffusé ? À ceux qui diraient qu'ils n'ont pas le temps de choisir leurs pensées avec discernement, la réponse est simple : être positif ou négatif, constructif ou destructif, ne se mesure pas en temps puisqu'il s'agit d'une attitude, pas d'un projet à entreprendre dans l'avenir.

Cultiver une atmosphère intérieure agréable ne se fait pas que chez soi en pyjama. Au contraire ! Cet exercice se fait à toute heure du jour et dans toutes les situations ; c'est justement ce qui nous permet de nous exercer à être heureux. Si nous le faisons quand nous sommes en pantoufles, où est le défi ? Apprendre à transcender les circonstances exige d'y faire face, tout comme réussir à soulever vingt kilos demande de repousser nos limites et de nous y mettre concrètement en soulevant des poids.

Si nous imaginons qu'un haut-parleur diffuse ce que nous pensons, nous nous habituons à prendre un certain recul qui permet d'observer notre système de pensées. Si nous demeurons dans notre cinéma-maison et notre système très fermé, il nous sera impossible d'en être témoin et de constater en quoi il consiste.

Pour jauger une maison de l'extérieur il faut en sortir. Pour être en mesure d'examiner le contenu de ce que nous pensons, il faut aussi prendre une certaine distance. C'est ainsi que nous pouvons observer ce qui se passe dans notre tête. Or, devenir témoin de soi-même exige que l'on se voit, ce qui n'est possible qu'en prenant du recul. Une fois que nous saurons comment faire, répétons le même exercice mais avec notre ego, cette fois.

Reculons de quelques pas et voyons-le enfin tel qu'il est, dans toute sa bassesse et ses stratagèmes tordus. Le bonheur est un état qui s'engendre lui-même en le vivant. Pensons-y... tout comme il est impossible d'être en furie si nous ne sommes pas furieux, il est impossible d'être heureux si nous ne le sommes pas. Que choisissons-nous, alors?

Quand nous avons cru, la première fois, que c'était à l'extérieur de nous rendre heureux, nous avons désappris à l'être, comme nous le faisions pourtant si bien quand nous étions un enfant et que nous étions tout naturellement un petit soleil.

Nous avons cessé de briller quand nous avons commencé à chercher à l'extérieur quelque chose qui brillait. Nous avons alors cru que c'était «ça» le bonheur. «Ça», pour l'alcoolique ou pour le fumeur, c'était la boisson ou la cigarette. En croyant que ces produits les rendraient heureux, ils en sont devenus dépendants et ils le demeureront tant et aussi longtemps qu'ils s'imagineront y trouver le bonheur.

En associant le bonheur à quelque chose ou à quelqu'un, nous nous exposons à ce qu'il disparaisse sans avertissement. Quelle angoisse quand on y pense... Comme l'alcoolique qui associe le bonheur à la boisson et qui est malheureux s'il n'y a plus accès, nous nous exposons à tomber de haut si nous sommes à notre façon dépendant de l'extérieur.

En croyant que le bonheur vient d'ailleurs qu'en nous, nous donnons vie à la possibilité de le perdre. Au contraire, en sachant qu'il se trouve à l'intérieur, nous avons la certitude que nous ne le perdrons jamais... à moins que nous ne décidions de lui tourner le dos.

Ce que nous voyons en regardant et en écoutant les gens qui ont choisi d'être heureux, ce sont les conséquences de leur décision. Croire qu'ils sont privilégiés, c'est se méprendre sur la raison de leur bonheur. En fait, OUI ils sont privilégiés, mais justement en raison de leur choix. La voilà, la preuve qu'opter pour le bonheur entraîne des conséquences très réelles. Si nous préférons croire que la vie les privilégie, c'est que nous nous estimons moins privilégié qu'eux. Pourtant, si nous comparions nos situations, nous verrions bien que ces individus ont eux aussi des loyers à payer, qu'ils ont des obligations à remplir et que les problèmes ne les épargneront pas parce qu'ils sont « eux ».

Où est la différence, alors? La voici : pour les gens heureux, les problèmes ne sont pas des problèmes, ce ne sont que les circonstances de la vie. C'est pourquoi nous ne les entendons ni crier ni se plaindre. Ils sont d'ailleurs trop occupés à régler la situation pour perdre leur temps à jouer la victime. C'est la raison pour laquelle dans l'adversité, ils continuent à sourire malgré tout. Ils ne pleurent pas sur eux-mêmes, pas plus qu'ils ne baissent les bras.

C'est leur sourire justement qui fait croire que pour eux, tout est facile. Pourtant, rien n'est plus simple que de les imiter. Si nous sommes vraiment honnête dans notre décision d'être heureux et que nous endossons la responsabilité de cette décision, alors nous semblerons à notre tour privilégié par la vie. Bien vite nous réaliserons que nous le sommes, parce que le mot *problème* aura disparu de notre vocabulaire.

Devant quelqu'un d'heureux nous pouvons conclure que cette personne est différente de nous et continuer de dire que la vie ne nous favorise pas. Notre décision de penser ainsi aura alors triomphé. Si, à l'inverse, nous réalisons que rien ne ressemble plus à un être humain qu'un autre être humain, nous en conclurons que si une seule personne peut être heureuse, nous aussi nous pouvons l'être... et nous cesserons dès cet instant de niveler par le bas.

Qui choisissons-nous d'être? Quelqu'un d'attirant par son attitude positive, ou quelqu'un de repoussant par son attitude négative? Quel état d'esprit souhaitons-nous entretenir? Désirons-nous donner le meilleur de nous-même et ce faisant, exploiter et partager notre incroyable potentiel?

Un enseignement de grande valeur

Jean garde le jeune fils d'un ami pour la fin de semaine. Il décide de l'amener voir un spectacle de marionnettes. Comme ils approchent de la salle de spectacle, ils constatent que l'attente risque d'être longue car plusieurs personnes sont arrivées avant eux.

———————————————

L'ami de Jean lui a confié que le fait d'avoir un enfant l'avait transformé. Il a appris à maîtriser son caractère car il sait qu'étant un exemple pour son fils, il veut lui montrer les avantages qui découlent d'une belle attitude dans la vie. Jean est conscient que lui aussi est un exemple, à sa façon, et il va agir en conséquence.

En arrivant sur les lieux du spectacle de marionnettes, Jean explique au fils de son ami que le spectacle doit être très bon pour que tant de gens se soient déplacés pour le voir. Il le rassure, lui disant qu'ils se procureront sûrement des billets et qu'ils resteront le temps qu'il faudra. Si jamais il n'en reste plus, ils trouveront une autre activité et s'amuseront tout autant.

———————————————

L'ami de Jean lui a confié que le fait d'avoir un enfant l'avait transformé. Il est passé d'un être qui ne faisait pas attention aux conséquences de ses paroles et de ses gestes à quelqu'un qui soignait son attitude. Il a pris conscience qu'étant un modèle pour son fils, il veut avant tout être un bon exemple. Jean respecte ce que son ami lui a confié mais le fait de garder son fils pour la journée ne fera pas changer ses habitudes.

En arrivant sur les lieux du spectacle de marionnettes, Jean déplore à voix haute la lenteur avec laquelle la file d'attente avance, puis explique au fils de son ami que les organisateurs auraient dû prévoir plus d'employés au guichet. Il poursuit ses lamentations, se plaignant de perdre du temps, puis annonce finalement au petit garçon que si la situation ne s'améliore pas rapidement ils partiront sans voir le spectacle.

*Par notre attitude
nous enseignons aux enfants
ce qu'il est normal de penser,
de dire et de faire.*

Ce que nous pouvons léguer de plus précieux, c'est notre belle attitude face à la vie et face au bonheur. En effet, tout s'oublie plus ou moins, mais le souvenir de l'attitude de quelqu'un demeure.

Tous les jours nous enseignons. À la maison, au magasin, au travail, au volant, partout et en tout temps. Enseigner n'est pas réservé aux professeurs dans leurs classes. Prenons les enfants : ils nous voient agir et nous entendent parler. Que leur enseignons-nous quand nous laissons l'extérieur déterminer nos humeurs ? Bien que nous ne leur disions pas comme tel, cette attitude leur enseigne indirectement que régler notre état intérieur sur les circonstances extérieures est normal.

Un mot à ce sujet. Ce que les enfants apprennent à notre contact, entre autres, c'est la normalité. Pensons-y... ils ne connaissent encore rien de la vie et comme ils ne naissent pas avec un livre d'instruction en leur possession, leur livre d'instruction c'est nous. C'est donc nous qui leur enseignons ce qu'il est normal de penser, de dire et de faire.

Rappelons-nous notre premier emploi. Nous avons imité les gens déjà en place, en quelque sorte, en nous soumettant à leurs heures de pause, ou encore en adoptant certaines habitudes des lieux. Cela illustre bien le fait que toute adaptation implique nécessairement une certaine imitation, ou à tout le moins l'adoption de certaines normes. Pensons à la vie en commun, ou à la manière de se comporter au restaurant, ou dans une réunion, ou avec des amis. Les enfants s'adaptent tout autant, sinon plus, car ils n'ont aucun point de comparaison. C'est pourquoi, dans leur besoin et leur désir de s'adapter, ils emmagasinent inconsciemment nos paroles, de même que nos faits et gestes. En bout de ligne, ils s'imprègnent de notre attitude. Leur enseignons-nous qu'il est bien de trouver des excuses, de lancer des reproches, de se plaindre? Ils apprendront ce que nous leur montrerons. Chaque excuse dont nous ferons usage pour justifier notre mécontentement leur indiquera la voie à suivre et à leur tour, ils l'enseigneront.

Personne ne choisirait consciemment d'enseigner à un enfant comment être malheureux, mais c'est ce que nous faisons chaque fois qu'il est témoin d'une de nos tentatives de combler un besoin de l'ego. Quand il nous voit nous obstiner sans retenue, ou rabaisser quelqu'un par nos paroles, ou encore nous défouler ouvertement quand quelque chose ne nous convient pas, lui enseignons-nous la maîtrise de nous-même et le respect d'autrui?

Chaque fois que nous accusons les circonstances ou les gens, nous enseignons le réflexe de l'impuissance et de la victime, qui n'est autre que la recherche de coupables. Qu'en est-il du réflexe de s'adapter aux circonstances et d'être heureux, ou de celui de prendre nos responsabilités?

Que choisissons-nous de transmettre? Qu'il faut satisfaire l'ego ou, au contraire, que rien ne rapporte autant que de le dominer ? Enseignons-nous qu'il est bien de trouver des excuses, de lancer des reproches, de se plaindre et ainsi tendre vers le bas ?

Quand nous enseignons à un enfant qu'il n'est pas responsable de son bonheur, nous nuisons à sa quête de devenir un être autonome. Pourquoi ? Parce que nous lui aurons enseigné le réflexe de se tourner vers l'extérieur au lieu de l'intérieur. S'il nous voit utiliser nos yeux pour regarder les circonstances et demeurer en paix malgré tout, il saura ce qu'est la vision des gens heureux.

L'enfant nous voit vivre et il est témoin de notre attitude. Ses associations d'idées, quand il est petit, se fondent sur les nôtres. C'est normal puisque c'est tout ce qu'il connaît. C'est à partir de ces associations apprises jeune, qu'il formera les siennes au fil du temps. Quelles fondations lui offrons-nous ? Choisissons-nous de le confiner au deuxième sous-sol, ou lui offrons-nous au contraire la vue du vingtième étage ?

Voulons-nous transmettre l'attitude de quelqu'un qui cherche à combler les besoins de son ego, ou bien celle d'un être humain qui assume sa responsabilité d'être heureux ?

Que penserions-nous de notre conception de l'existence si elle était celle de quelqu'un d'autre ? Serait-elle un exemple à évoquer ? En garderions-nous un souvenir impérissable ? Souhaiterions-nous un tel professeur à nos enfants ?

Nous ne pouvons accepter d'être heureux à la place des autres, pas plus que nous pouvons leur léguer le bonheur. Ce qui est possible, toutefois, c'est de démontrer ce que le fait de penser, de parler et d'agir comme quelqu'un d'heureux entraîne comme conséquences merveilleuses.

TÉMOIGNAGES

Voici quatre témoignages de personnes
qui savent que le bonheur est un choix
qu'elles font constamment.

Nicole

Guillaume

Susie

Albertine

Nicole

Lyne : *Est-ce qu'il est facile pour toi d'être heureuse ?*

Nicole : Non, ce n'est pas facile. C'est sûr que c'est à l'intérieur de nous, le bonheur, mais ce n'est pas si simple que ça, avec les gens qui gravitent autour de nous. Il faut toujours aller au-devant. Je ne trouve pas que c'est si simple que cela. Quand on est parti, quand on est dedans, ça va bien. C'est comme dans une fête : c'est nous qui faisons qu'elle est réussie ou pas. Ça part de soi.

Pour revenir au bonheur, quand, autour de nous, il y a des poussées contraires, il faut vraiment croire que nous avons le bonheur en nous, pour pouvoir le partager. Tu vois, ça se répand. Que tu sois heureux ou malheureux, tout le monde le ressent autour de toi. C'est sûr que dans notre entourage ce n'est pas tout le monde qui est heureux et qui a le goût, aussi, de rendre les autres heureux autour d'eux.

Je trouve que c'est très rare de trouver quelqu'un heureux de façon innée. Il se passe tellement de choses autour de nous. Les enfants, eux, sont heureux naturellement. Ils ne cherchent pas loin : c'est à l'intérieur d'eux. Ils sont contents, ils sont spontanés, naturels.

Plus nous vieillissons, plus nous apprenons des choses qui font en sorte que nous sommes moins heureux parce qu'il faut être politiquement correct. Ça nous empêche d'être vraiment nous-même. Être soi-même, c'est être heureux. Quand quelqu'un veut que nous soyons différent, c'est là que ça commence à être un peu plus difficile d'être heureux tout en faisant plaisir aux autres.

Il m'arrive souvent de penser que j'ai le choix de me laisser affecter par les circonstances ou pas. Autant il y a de gens qui gravitent autour de toi, autant tu as de choix, à tous les jours. Tu as le choix d'être de bonne humeur le matin quand tu arrives au travail, de dire bonjour à tout le monde, et tu as le choix de passer dans le corridor et de ne regarder personne. Ce choix, tu le fais avant d'arriver au travail. Moi, à tous les jours je prends des décisions : est-ce que ce matin je suis de bonne humeur et est-ce que je rends les autres de bonne humeur, ou pas?

Le bonheur, c'est un choix qui se renouvelle constamment. Je pense qu'il y a des gens qui cherchent tellement loin qu'ils ne trouvent pas quand c'est tout proche. Des fois je me dis que j'aimerais voyager et voir le monde, mais je pense que le monde le plus beau, c'est celui qui est autour de moi : mon mari, mes enfants. C'est à travers eux que je vois le plus beau monde qui existe.

La vie est pareille de l'autre côté de la terre, en Australie comme au Québec. C'est sûr que les paysages, les endroits peuvent être différents, mais si je n'étais pas avec les gens que j'aime je n'apprécierais jamais le monde autant que l'arbre ou le petit bois qui se trouve en face de chez nous.

Si du jour au lendemain je devais perdre ce qui m'est le plus précieux, je me dirais que c'est parce que j'ai d'autres choses à vivre. Je crois au destin. Bien sûr, j'aurais de la peine, c'est évident. Mais on dirait que depuis quelques années, je suis beaucoup plus sereine par rapport à ce que je suis venue faire sur la terre. Je suis ici pour être heureuse bien entendu, et en même temps pour rendre les gens heureux. Si je perdais tout du jour au lendemain, il faudrait que je comprenne pourquoi et que je trouve autre chose.

Dans la vie, je suis portée à essayer de faire rire les gens. Je me dis qu'avec le rire on finit par décanter un peu, par laisser les choses sans importance de côté pour revenir aux vraies affaires. J'en connais des gens autour de moi, qui ne sont pas toujours heureux, qui sont malheureux même. Je passe mon temps à essayer de les aider à ma façon, en les faisant rire. Certains pensent que c'est prendre les choses à la légère, et que la vie est plus sérieuse que ça. Mais la vie, quand c'est sérieux, ça peut devenir tellement triste !

Dernièrement, j'ai eu une conversation avec une amie qui se sentait malheureuse. J'ai essayé de l'aider du mieux possible, en dédramatisant, et elle s'est fâchée. C'est là que je lui ai dit : « Si tu es fâchée, tu perds tes énergies et tu brûles tout ton potentiel. De plus, tu es malheureuse. Essaie de voir la situation différemment ; tu ne peux pas changer les événements, c'est arrivé. Tente de les prendre du bon côté et de dire : *Je vais porter ma petite valise et je vais la donner à quelqu'un d'autre. Je ne peux plus la garder, elle est trop lourde pour moi.* »

C'est nous qui décidons comment nous réagissons face aux événements négatifs. À toute chose il y a un bon côté et j'essaie de le voir, ce côté-là. Je ne le vois peut-être pas toujours du premier coup, c'est sûr, parce que je suis impulsive. Après, par contre, j'essaie de voir.

Je crois en toute sincérité que l'humain n'est pas foncièrement mauvais. Je pense qu'il est bon, mais qu'il ne sait pas comment se défendre et que parfois il peut attaquer les autres sans en avoir conscience. S'il savait qu'il blessait aussi profondément que lui l'a été, ce n'est pas ce qu'il voudrait. On ne peut pas être heureux en faisant de la peine aux gens autour de soi.

Nous ne sommes pas toujours conscients du mal que nous faisons aux autres, parce que les gens ne font pas voir le fond de leur âme. Ils font semblant que ça rebondit comme sur un miroir, mais ça ne rebondit pas toujours aussi rapidement que ça. Moi, j'essaie de donner la chance au coureur. Quand je suis attaquée je ne réagis pas toujours aussi finement, mais je me reprends plus tard et j'essaie de revoir la situation d'une meilleure façon, pour pouvoir mieux la vivre. Je laisse passer, je pense à quelque chose de plus positif.

Si quelqu'un me disait que ma vie est plus facile que la sienne je lui répondrais que les apparences sont trompeuses. Chacun vit les circonstances différemment mais nous avons tous des problèmes. Je me fais souvent dire : « Toi tu es forte, tu es capable, tu ris tout le temps ». Bien non, parfois je suis fatiguée mais je me dis : *Je suis capable de passer à travers, je vais continuer.*

Je pense énormément aux gens autour de moi. La « décentralisation », moi j'y crois. Quand on se concentre seulement sur soi, on risque d'être malheureux. On ne peut pas s'en tenir seulement à ce dont on a le goût tout le temps. Si on ne regarde pas ce que les autres veulent, ou ont envie de faire ou de partager avec nous, on perd beaucoup.

Je ne suis pas tournée vers moi-même, je ne m'écoute pas et je ne passe pas mon temps à me regarder dans le miroir. Je m'accepte comme je suis. Tu sais, on vieillit, on est toujours différent d'année en année. C'est ce qu'on dégage qui fait que l'on est heureux. À force de rire et d'avoir du plaisir, on se prend à notre propre jeu. C'est la meilleure façon d'oublier les problèmes.

Les personnes heureuses et qui expriment leur bonne humeur sont attirantes. C'est dommage qu'avec le temps, nous perdions un peu de notre spontanéité et de cette joie de vivre que tous voudraient ne jamais perdre.

Où que nous soyons, et malgré certains désagréments, nous devons garder espoir. Cet espoir en la vie, c'est ma mère qui me l'a inculqué.

Comme parent et comme professeur je veux être un exemple de quelqu'un qui réagit bien. C'est très important, je pense, de donner ça aux jeunes, ce désir d'avoir du plaisir, de découvrir plein de choses, d'être heureux avec peu. D'être heureux simplement de marcher, d'avoir une petite main dans la sienne, de pouvoir partager et dire comment on se sent, de regarder un arbre, de le trouver beau. Des petites niaiseries, tu sais ? Je leur dis souvent ça. Oui, je pense que c'est le plus beau cadeau que je pourrais donner à mes enfants et à mes élèves. Et à mes amis, aussi.

Guillaume

Lyne : *Comment fais-tu pour être heureux ?*
Guillaume : Je me centre sur le bonheur. Je reste également heureux peu importe ce qui survient. Si je suis fatigué ou que j'ai mal et si je centre mes pensées sur le mal qui m'afflige, je suis déjà voué à être malheureux. Par contre, si j'isole la pensée négative et que je la remplace par une autre qui est positive, je décroche de la séquence d'idées négatives et il y a une succession d'idées positives qui en découle. C'est aussi simple que ça.

La différence entre quelqu'un qui est heureux et quelqu'un qui ne l'est pas, c'est que celle qui est malheureuse n'est pas toujours consciente, d'abord, de toutes les pensées qui se succèdent dans son esprit. Deuxièmement, elle n'agit pas de manière responsable face à ces idées-là. C'est-à-dire qu'elle fuit la responsabilité d'être heureuse. Le fait d'être bien ou mal part de nous, donc d'un état qu'on se fixe nous-même.

La personne qui n'est pas heureuse ne réalise pas toujours que le bonheur est en soi. Elle est peut-être trop accaparée par son malheur pour s'en rendre compte.

Il suffit alors de se décentrer des événements qui peuvent arriver et de se concentrer sur une seule idée très simple : « Je suis heureuse, je suis heureux. » C'est tout.

Je lui suggère de penser à quelque chose qui la rend heureuse. C'est-à-dire que chacun d'entre nous a une image du bonheur, chacun a certainement des conditions de bonheur qui lui sont propres. La personne fixe son esprit sur ce qui la rend heureuse et, par conséquent, elle oublie les conditions négatives qui la rendent malheureuse. Finalement, elle choisit une idée, une image simple, que ce soit un livre, une personne, une pensée, une sortie, ou quoi que ce soit. Elle n'a même pas à le faire, à lire ou à sortir, mais déjà juste le fait de penser à ces éléments la met dans un état d'esprit plus positif que si elle ne fait que se centrer sur l'événement qui peut être, en soit, malheureux.

Être heureux, c'est un choix que je fais quotidiennement. Un jour j'ai vécu une rupture dans une relation amoureuse. À ce moment-là, j'étais conscient que plusieurs possibilités s'offraient à moi. Je pouvais soit nier la relation, soit m'apitoyer sur la relation perdue ou alors, le troisième choix, me prendre en main et décortiquer les raisons du malheur ressenti à la suite de cette rupture. Comprendre le pourquoi de cet échec et ensuite enclencher un processus positif qui fasse finalement en sorte que je sois heureux. Au départ, j'étais malheureux car j'avais perdu une relation privilégiée et satisfaisante. C'était épouvantable. Là, j'ai réalisé que c'était à moi de faire les premiers pas pour avancer dans une autre direction.

Penser de façon positive et penser négativement, c'est deux manières de penser aussi différentes que peuvent l'être l'ombre et la lumière. L'ombre est foncièrement différente de la lumière et vice versa. Je pense que quand tu n'as jamais été vraiment responsable de ton propre bonheur, tu ne peux comprendre ce que c'est qu'être heureux. Le vivre et le comprendre, l'état d'être heureux, amène une dimension tout à fait nouvelle. On le réalise et on sait désormais qu'on peut être heureux.

Avant, on pouvait se dire que le bonheur est variable et dépend de telle ou telle condition extérieure. Alors que je peux dire que c'est maintenant une idée fixe qui me reste toujours dans la tête. Le bonheur peut donc devenir indépendant des circonstances telles que les agissements des autres ou les événements qui surviennent dans notre vie. C'est une idée que les gens n'acceptent pas facilement, mais c'est effectivement le cas.

Si quelqu'un me disait que c'est plus facile pour moi, je répondrais que chacun peut avoir sa conception, son image et même son univers de bonheur. Chacun vit des réalités et des expériences qui lui sont propres. Et peu importe la gravité des événements qui nous touchent, que ce soit le décès d'un proche ou un échec scolaire, peu importe les circonstances extérieures et leur gravité, quand tu te donnes la responsabilité d'être heureux et que tu l'assumes, ça change tout.

Personne n'est avantagé par la vie. Je pense qu'il faut passer par la situation d'être victime des circonstances, c'est-à-dire que tu ne réalises pas au départ que tu peux être réellement heureux. En fait, tu ne réalises pas que tu peux faire tout ça toi aussi. C'est donc à partir du moment où tu acceptes, où tu prends la charge de ton bonheur, que là tu maîtrises enfin la situation. Il faut avoir vécu l'envers de la médaille, pour vivre pleinement son bonheur.

Même si je devais tout perdre du jour au lendemain, je saurais que ça reste une circonstance extérieure qui ne changera pas mon idée maîtresse : « Je suis heureux ». C'est dans la tête, et puis il n'y a rien qui peut affecter cette vision-là. Si ton idée est vraiment enracinée, que tu t'en tiens à elle, peu importe les circonstances et les malheurs qui peuvent survenir, tu es heureux si ton intention est de l'être.

On a chacun nos préférences, nos opinions, nos goûts personnels. Mais finalement, ces éléments ne sont pas si importants. Ce qui est fondamental et qui reste toujours en place, c'est une idée dont on peut se rappeler constamment. Normalement, au départ, quelqu'un qui n'a pas fait le constat et l'acceptation qu'il est pleinement et totalement responsable de son bonheur, va se dire qu'il peut être heureux, mais il va aussi accepter que le malheur est un état inévitable.

Donc, tu as l'idée du bonheur mais aussi sa contrepartie. Par contre, c'est à partir du moment où tu élimines consciemment et par toi-même de ta tête l'alternative «je suis malheureux», que tu deviens heureux, peu importe si tu mènes à ce moment-là une vie de rêve ou une vie insatisfaisante ; peu importe les conditions.

Quand je vois quelqu'un créer son malheur par sa façon de voir la vie, je ne suis pas là pour dire : «C'est de sa faute». Je ne peux pas faire ça, parce que j'ai déjà vécu en étant inconscient de la possibilité que je pouvais, seul, créer mon bonheur et le façonner. Je souhaite justement que cette personne malheureuse fasse une rencontre, ait une idée lumineuse ou lise quelque chose qui la conduise à réaliser que le bonheur fait partie de nous dès le départ, peu importe qui on est.

Aussi, toutes les philosophies et toutes les religions disent qu'en nous il y a un petit fil conducteur qu'il faut découvrir et qui nous mène à la plénitude. Le mot «plénitude» implique qu'il n'y a pas la contrepartie, en occurrence le malheur. Je pense qu'on devrait tous, un jour, être confrontés à cette idée-là, c'est-à-dire que nous sommes responsables de notre bonheur et de notre état actuel.

Susie

Lyne : *Est-ce qu'on naît avec l'aptitude au bonheur ?*

Susie : C'est peut-être ce qui nous est montré par nos parents. C'est là que ça peut commencer, mais il est certain qu'on a quand même en nous une vision positive ou négative, et en grandissant on choisit ce qu'on veut être. C'est toi qui crées ton bonheur, ce n'est pas l'autre à côté. Tu veux être heureux, tu vas l'être ; tu ne veux pas l'être, alors tu causes ton malheur. Mes deux parents sont positifs ; mon père m'a toujours dit que tout ce que je voulais faire dans la vie, je pouvais le réussir. Je n'avais qu'à le vouloir et à le penser. Alors j'ai grandi avec cette idée-là.

J'ai toujours pensé comme ça, même si ça n'a pas été facile : j'ai eu des hauts et des bas, mais j'ai toujours cru que l'on reçoit ce que l'on demande. Si tu penses que ça va aller mal, ce sont tes pensées, c'est toi qui crées ce qui va t'arriver. Il n'y a personne qui fait ça pour toi. Dans ta tête tu n'as qu'à te dire : « Je suis heureuse et je veux continuer à l'être ».

Quand il arrive quelque chose de négatif, il faut se rappeler : « Je vais passer à travers, c'est seulement une étape ». Parfois, c'est ce qui fait qu'on acquiert la sagesse. On comprend mieux, et on se dit qu'il fallait que ça nous arrive pour se rendre à ce point-là. Il faut évoluer ! On ne peut pas juste répéter : « On est heureux, on est heureux ! » Des fois c'est nous qui allons chercher le négatif justement pour aller encore plus loin dans notre vie, pour avancer.

Si quelqu'un me dit que c'est facile, pour moi, d'être heureuse, je lui répondrais qu'il n'a qu'à faire la même chose et essayer de penser de façon positive. Tu ne peux pas dire à l'autre comment réagir. L'autre voit comment tu es, il voit aussi que c'est un choix.

Il y a des gens qui voient toujours la vie en noir. Ils vivent ainsi, on dirait presque qu'ils sont bien dans cet état-là. C'est dommage à dire mais c'est vrai. Tout le monde peut changer parce que rien n'est impossible, mais il faut d'abord qu'ils le veuillent. Tu as beau leur répéter, on dirait que certains ne veulent pas.

Il n'y a que nous-même qui pouvons nous changer, modifier notre façon de penser. Quand ça ne fonctionne pas avec quelqu'un, tu fais ton possible. Tu fais ce que tu as à faire, tu continues ton chemin. Bien sûr nous sommes humains, mais il ne faut pas blâmer les autres pour ce qui nous arrive.

Certaines personnes vont dire que nous voyons la vie trop légèrement. Peut-être qu'ils se disent que nous nous pensons les meilleurs, mais dans le fond nous ne sommes pas meilleurs. Sans être une forme de jalousie, ils ont pour leur dire que parfois nous nous prenons pour d'autres. S'ils voyaient que nous sommes seulement nous-mêmes...

Il y a des gens qui essaient tellement d'être différents, qu'ils ne sont pas eux-mêmes! Ils jouent un rôle, ils portent un masque. Je pense que ce qui compte d'abord et avant tout, c'est d'être soi-même.

Il est facile de blâmer les autres. Si nous acceptions de nous voir tel que nous sommes, tout serait tellement plus clair. En fait, tout ce qui nous arrive, provient de nous, toujours de nous. Nous blâmons souvent nos parents mais nous commettons tous des erreurs. À un moment donné, c'est à nous de corriger ce que nous n'aimons pas.

N'oublions pas que nous apprenons de nos erreurs. Nous grandissons et nous voyons les choix et les chemins qui s'offrent à nous. Nous nous engageons là où nous voulons aller. La vie est toujours un choix !

Quand nous blâmons, cela nous garde prisonnier de quelqu'un ou d'un événement du passé. C'est sûr qu'à ce moment-là nous ne vivons pas dans le présent. Moi, je veux vivre au présent. Le passé, c'est le passé et le futur, on ne sait pas si on va être là. Alors, il faut vivre au jour le jour. Je pense que c'est ça qui est important.

Donner tout ce qu'on peut dans la journée même, et essayer de ne pas penser à hier puisque c'est fini. Même si on repense à hier, il faut continuer à avancer et essayer de corriger les erreurs qu'on a peut-être faites. C'est comme ça qu'on apprend tous les jours.

Tu veux un exemple de quelqu'un qui ne vit pas au présent ? Il y en a qui amassent, qui amassent, qui amassent de l'argent toute leur vie, et pourtant quand ils vont mourir ils ne l'apporteront pas avec eux.

Quand tu donnes, tu donnes. Pas seulement de l'argent : n'importe quoi. Tu donnes du bonheur, tu fais plaisir au voisin, un coup de téléphone, ce que tu veux ! « Je vais l'appeler demain, je vais faire ça demain... » C'est toujours demain. Des fois, c'est trop tard. Fais au jour le jour tout ce que tu es capable de faire. Dis un mot, fais un sourire, ou tout autre geste ! C'est sûr qu'après tu es bien, quand tu fais plaisir. Veut, veut pas, tu es heureux en dedans.

Tu es heureux en semant du bonheur autour de toi. Tu sais qu'un petit rien va faire plaisir ? Tu le fais. Des petits plaisirs qui souvent ne coûtent rien. Vivre au jour le jour, c'est une grosse partie du bonheur. Fais ce que tu veux faire quand tu en as l'occasion.

Comme ça, pas de regrets. Moi, je n'en ai pas. C'est sûr que certains événements du passé blessent, mais je ne regrette rien parce que j'ai aussi des beaux souvenirs. Il y a des choses qui m'ont rendue meilleure, et je sais que j'en ai encore à apprendre.

Ça revient à dire que c'est toujours du travail sur soi. L'idée n'est pas de changer l'autre, c'est de se changer soi-même. S'il y a quoi que ce soit que nous n'aimons pas, c'est en nous. Si quelqu'un ne veut pas changer, ce n'est pas à nous de le faire pour lui.

Comme mère de famille et en tant que personne travaillant auprès des enfants, je veux montrer que l'important, c'est d'aimer. Moi aussi je dis à mes enfants qu'ils peuvent faire ce qu'ils veulent dans la vie. Ça m'a apporté du bien de savoir cela et ça m'a fait beaucoup évoluer. Encore aujourd'hui, je pense à ce que mon père me disait. Je le répète naturellement à mes enfants, mais nous ne leur disons jamais assez que nous les aimons et que nous croyons en eux, qu'ils peuvent faire ce qu'ils veulent dans la vie.

Tout ce que tu veux, pour tes enfants, c'est leur bien-être. La première chose que tu souhaites, c'est qu'ils soient heureux, alors tu veux leur montrer les beaux côtés de la vie. Il faut prendre le temps. Mon père s'est assis avec moi sur le gazon pour me parler d'un brin d'herbe. Prenons le temps de regarder la nature... Des fois, les enfants nous montrent une fleur. Ils sont tout petits, tellement vrais, et il y a tellement de parents qui passent à côté de cela en répondant qu'ils n'ont pas le temps. Ce que nous leur enseignons lorsqu'ils sont petits, ce sont des souvenirs qui forment un album, une bibliothèque. Personne ne peut leur enlever cela.

Nous nous souvenons de ce dont nous voulons bien nous souvenir, et il n'y a rien de plus beau que la mémoire pour les belles choses. Nous passons par-dessus ce qui n'est pas bien ou ce qui nous a blessé, et nous gardons ce qui nous convient. C'est ainsi que nous pouvons offrir le meilleur de nous-même.

La vie, c'est toujours une sélection. Moi, je choisis ses beaux côtés. Je n'en veux plus de négatif, un point c'est tout. Quand quelque chose m'arrive et que ça ne fait pas mon affaire, ou que ça me blesse, je me dis que ce n'est pas cela que je veux ; je passe à côté ou je m'arrange pour que ce soit autrement... parce que la vie est courte !

Lorsque je vois une personne créer son propre malheur par sa seule façon de penser, j'essaie de lui apprendre à s'aimer parce que c'est là que ça commence. Quand on s'aime soi-même, on peut faire n'importe quoi. Si on ne s'aime pas, on ne peut pas aimer le voisin.

Encore là, il faut s'améliorer soi-même. Quand nous sommes bien dans ce que nous faisons, nous ne faisons que le démontrer ; les gens trouvent que nous sommes toujours heureux, toujours de bonne humeur. Mais tout le monde peut en faire autant! C'est ça la clé, je pense.

Tout ce qui est bien, toute pensée qui est bonne, peut réussir. Si parfois quelque chose que nous demandons n'arrive pas, c'est que quelque chose de mieux nous attend. Avec une telle attitude, il est impossible d'être négatif. Nous ne pouvons qu'être heureux.

Albertine

Lyne: *C'est quoi, le bonheur, pour vous ?*
Albertine : Le bonheur pour moi, c'est vivre accompagnée de Dieu. Sentir sa présence me comble et ensoleille ma vie. Nous avons tous des épreuves tout au long de notre vie. Savoir les accepter nous aide à grandir et nous évite de multiples souffrances qui contaminent rapidement nos dispositions au bonheur. Lorsque je rencontre une difficulté, c'est automatiquement vers Dieu que je me tourne. Je reçois toujours le soutien nécessaire qui me procure sérénité et bonheur.

Vous savez, nous avons tous « la grâce » en nous ! Moi, en sortant du lit le matin, je Lui rends grâce. Je Le remercie pour la bonne nuit que je viens de passer et pour cette nouvelle journée qui s'amorce.

En fait, « se contenter de ce que l'on a » est ma plus simple définition du bonheur. Pour moi, c'est cela être bien avec soi-même. D'autres personnes vivraient ma vie et ne s'en contenteraient pas... pour ma part, j'ai appris à me contenter de peu et je suis très heureuse. On dit que j'ai une nature heureuse. C'est probablement vrai. Même si je possédais plus de biens matériels... je ne pourrais pas être plus heureuse que maintenant.

Chacun d'entre nous avons le pouvoir de penser ainsi, je n'ai aucun don spécial. Quand nous étions petits, maman nous habituait à être contents de ce que nous avions. Nous étions quatorze enfants sur une terre de roches, nous n'étions pas riches mais heureux. Nous nous sentions profondément aimés.

Ce qui m'attriste, c'est qu'il y a plein de gens malheureux. On dirait qu'ils ne voient que le mauvais côté des choses. Tu dis : « Il fait beau aujourd'hui », ils répondent : « Oui, mais on annonce de la pluie demain ! » Comme s'ils ne pouvaient apprécier le moment présent et le soleil qui brille aujourd'hui.

J'essaie le plus possible de vivre le moment présent et d'être heureuse. De cette façon, je n'ai pas de regrets inutiles et il m'est plus facile de faire face à la vie. Aujourd'hui, j'ai 82 ans. Je ne m'inquiète pas, je sais que Dieu est toujours à côté de moi comme un ami invisible. Mieux, Il est en moi !

Hélas, lorsque il m'arrive de manquer d'amour envers mon prochain, par exemple, si j'entends quelqu'un parler des autres, je réalise qu'il m'arrive parfois de faire la même chose. Je le reconnais tout de suite et je demande au Seigneur : « Où étais-Tu ?... pourquoi m'as-Tu laissé faire ? » Reconnaître que nous nous sommes trompé nous permet de nous pardonner et d'être pardonné.

Finalement, le bonheur est gratuit et accessible à tous. Il est toujours là, à nous de savoir le reconnaître, l'accepter et le cultiver. Je crois sincèrement qu'il faut le nourrir dans notre cœur. Il faut surtout être reconnaissant pour tout ce qu'il nous apporte.

Bibliographie

BOHM, David, *La plénitude de l'univers*, éditions Le Rocher, 1987, 244 p.

BUBER, Martin, *Je et tu*, Paris, Aubier-Montaigne, 1981. 173 p.

CHOPRA, Deepak, *Les sept lois spirituelles du succès*, Éditions J'ai lu, 1994, 114 p.

COELHO, Paulo, *L'Alchimiste*, Éditions Anne Carrière, Paris, 1994, 253 p.

Course in Miracles, Viking, Penguin Group, New York, 1975, 1248 p.

DYER, Wayne, *Your Sacred Self – Making the Decision to be free*, HarperCollins Publishers, New York, 1995, 382 p.

FOX, Emmet, *Le sermon sur la montagne – La clef du succès dans la vie*, Librairie Astra, 1999, 157 p.

HOLMES, Ernest, *Science of Mind*, Jeremy P. Tarcher/Putnam, 1997, 668 p.

KRISHNAMURTI, Jiddu, *L'esprit et la pensée*, Éditions Stock, 2001, 234 p.

La Bible

ECKHART, Johann (dit Maître), *Traités et Sermons*, Garnier Flammarion, 1993.

ROBERTS, Jane, *Seth : La réalité personnelle – L'enseignement de Seth*, Éditions J'ai lu, New Age, 1991.

SCHMIDT, K.O., *Le hasard n'existe pas*, Éditions Astra, 1956, 241 p.

TALBOT, Michael, *Mysticisme et physique nouvelle*, Le Mail, Mercure de France, 1984, 235 p.

The Bhagavad Gita, Penguins Books, Penguin Classics, 1962, 86 p.

WALSCH, Neale Donald, *Conversations avec Dieu – Un dialogue hors du commun, Tome 1*, Ariane Éditions, 1997, 214 p.

The Upanishads, Penguin Books, Penguin Classics, 1965, 143 p.

Table des matières

Achevé d'imprimer chez
MARC VEILLEUX IMPRIMEUR INC.,
à Boucherville,
en mai deux mille deux